W9-DDA-022

Forme et Signification

Essais sur les structures littéraires de Corneille à Claudel

DU MÊME AUTEUR

Chez le même éditeur :

La Littérature de l'âge baroque en France, 1953.

Chez d'autres éditeurs :

Jean de La Ceppède, choix de textes. G.L.M., 1947.

Andreas Gryphius, choix de textes et traduction, G.L.M., 1947.

Angelus Silesius, choix de textes et traduction, G.L.M. 1949.

Anthologie de la poésie baroque française, 2 volumes. Armand Colin (Bibliothèque de Cluny), 1961.

JEAN ROUSSET

FORME ET SIGNIFICATION

Essais sur les structures littéraires de Corneille à Claudel

Deuxième tirage

LIBRAIRIE JOSÉ CORTI
11, RUE DE MÉDICIS — PARIS
1964

A Georges Poulet

INTRODUCTION

POUR UNE LECTURE DES FORMES

« Le mystère sacré de la structure. »
HENRY JAMES.

1

Ce livre a-t-il besoin d'une longue justification? Rien de plus normal, semble-t-il, que son propos : saisir des significations à travers des formes, dégager des ordonnances et des présentations révélatrices, déceler dans les textures littéraires ces nœuds, ces figures, ces reliefs inédits qui signalent l'opération simultanée d'une expérience vécue et d'une mise en œuvre. Il y a longtemps qu'on s'en doute : l'art réside dans cette solidarité d'un univers mental et d'une construction sensible, d'une vision et d'une forme [1].

Les choses ne sont pourtant pas si simples ; sur la nature du fait littéraire et sur la manière de saisir les œuvres, sur les rapports de la création et de la réalité. de l'artiste et de l'histoire, de la sensation et du langage, sur le rôle dans l'art de cette fonction capitale, l'imagi-

(1) Je pense au corps de réflexions, de polémiques et d'applications pratiques dû aux Formalistes russes, à la critique anglo-saxonne, en particulier aux New Critics américains et, en France, aux poètes : Flaubert, Mallarmé, Proust, Valéry, ou à un historien de l'art comme Focillon.

nation, les incertitudes et les oppositions abondent. Mais s'il est une notion qui provoque la contradiction ou le désaccord, c'est bien celle, pourtant centrale, de forme. Il faut le dire, les difficultés ici s'accumulent et je ne prétends pas les résoudre.

Dans ces pages qui préludent non pas à un ouvrage de spéculation, mais à une série d'applications, je me bornerai à préciser quelques points, à prévenir certains malentendus et à dire tout d'abord sur quelle expérience je m'appuie.

*
* *

2

« Un univers qui s'ajoute à l'univers. »
H. Focillon.

Entrer dans une œuvre, c'est changer d'univers, c'est ouvrir un horizon. L'œuvre véritable se donne à la fois comme révélation d'un seuil infranchissable et comme pont jeté sur ce seuil interdit. Un monde clos se construit devant moi, mais une porte s'ouvre, qui fait partie de la construction. L'œuvre est tout ensemble une fermeture et un accès, un secret et la clé de son secret. Mais l'expérience première demeure celle du « Nouveau Monde » et de l'écart ; qu'elle soit récente ou classique, l'œuvre impose l'avènement d'un ordre en rupture avec l'état existant, l'affirmation d'un règne qui obéit à ses lois et à sa logique propres [2]. Lecteur, auditeur, contemplateur, je me sens instauré, mais aussi nié : en présence de l'œuvre, je cesse de sentir et de vivre comme on sent

(2) « Wenn die Oper gut ist, macht sie freilich eine kleine Welt für sich aus, in der alles nach gewissen Gesetzen vorgeht, die nach ihren eigenen Gesetzen beurteilt, nach ihren eigenen Eigenschaften gefühlt sein will. » Goethe, *Uber Wahrheit und Wahrscheinlichkeit der Kunstwerke* (cité par W. Kayser, *Die Wahrheit der Dichter*, Hambourg, 1959, p. 25).

et vit habituellement. Entraîné dans une métamorphose, j'assiste à une destruction préludant à une création.

Certes, la réalité, — l'expérience de la réalité et l'action sur la réalité —, n'est généralement pas étrangère à l'art. Mais l'art ne recourt au réel que pour l'abolir, et lui substituer une nouvelle réalité. Le contact avec l'art, c'est d'abord la reconnaissance de cet avènement. Franchissement d'un seuil, entrée en poésie, déclenchement d'une activité spécifique, la contemplation de l'œuvre implique une mise en question de notre mode d'existence et un déplacement de toutes nos perspectives : passage d'un désordre à un ordre, pour reprendre, en les modifiant légèrement, les termes de Valéry, ce qui est vrai même si cet ordre est volonté de désordre; passage de l'insignifiant à la cohérence des significations, de l'informe à la forme, du vide au plein, de l'absence à la présence. Présence d'un langage organisé, présence d'un esprit dans une forme.

***

3

> « Ce qu'il y a de plus réel pour moi, ce sont les illusions que je crée avec ma peinture. Le reste est un sable mouvant. »
>
> E. DELACROIX.

A l'expérience du contemplateur correspond celle des créateurs. Nombreux et concordants sont les aveux d'artistes qui soulignent, de leur point de vue, la même rupture, la même autonomie : le poète en fonction se voit distinct et séparé, la sensibilité poétique diffère de la sensibilité pratique, etc... C'était déjà la thèse de Diderot dans le *Paradoxe;* Balzac la reprend dans *Massimila Doni* et fait de la disjonction du vécu et de l'expression une loi de toute création : le ténor Genovese, brillant chanteur, se met à « bramer comme un cerf » dès que son personnage d'amoureux le met, sur la scène, en présence de la cantatrice dont il est épris : « Quand un artiste a le malheur d'être plein de la passion qu'il veut exprimer, il ne saurait la peindre, car il est la chose même au lieu d'en être l'image. L'art procède du cerveau et non du cœur. » N'en concluons pas trop vite à une activité cérébrale; « cerveau » est ici pour désigner une opération élaborée et spécialisée, tout à fait distincte de la spontanéité passionnelle. C'est l'idée de séparation qu'il faut retenir, c'est celle qui ressort d'un texte très proche : dans les *Illusions perdues,* Lucien de Rubempré veille Coralie morte en composant les chansons grivoises qui paieront son convoi, « il exécutait déjà le terrible arrêt de Claude Vignon sur la *séparation* qui s'accomplit entre le cœur et le cerveau ». Tenons-le pour certain, ce « cerveau » qui compose est un laboratoire saturé d'expérience sensible.

Flaubert, poussant beaucoup plus loin dans la direction indiquée par Balzac, nuance et précise les distinctions nécessaires. « Ne crois pas que la plume ait les mêmes instincts que le cœur »; la disjonction des activités ne s'affirme pas moins nettement; il en sera de même chez Baudelaire opposant la « sensibilité de l'imagination » à la « sensibilité du cœur » et chez Mallarmé posant « un tempérament humain très distinct du tempérament littéraire » [3]; et après eux, Proust, Valéry, Henry James, T. S. Eliot... Mais Flaubert nous fait comprendre pourquoi cette faculté spécialisée peut être dite tantôt « sensibilité », tantôt « cerveau », il s'agit d'une sensibilité seconde, de nature réflexive : « la passion ne fait pas les vers..., moins on sent une chose, plus on est apte à l'exprimer comme elle est..., mais il faut avoir *la faculté de se la faire sentir...* » [4] Sensibilité de l'imagination, qu'on distinguera et dégagera de l'émotion empirique parce que celle-ci, loin de

(3) MALLARMÉ, *Corr.*, I, p. 154. Le symbole extrême de cette scission nécessaire, Mallarmé le donne dans le *Cantique de saint Jean* : le poète, c'est l'homme coupé en deux, la tête séparée du corps.

(4) *Corr.*, II, p. 460.

la nourrir comme le croyaient certains Romantiques, la trouble et l'amortit. Je ne connais pas de témoignage plus décisif à cet égard que celui de Virginia Woolf, à l'époque où elle travaillait à *Mrs. Dalloway* : « C'est une erreur de croire que la littérature peut être prélevée sur le vif. Il faut sortir de la vie. Oui, et c'est pour cela que l'interruption de Sydney m'a été si désagréable. Il faut sortir de soi, et se concentrer au maximum sur un seul point; ne rien demander aux éléments épars de sa personnalité; *vivre dans son cerveau*. Quand Sydney vient, je suis Virginia. Mais quand j'écris, je ne suis plus *qu'une sensibilité*. Il arrive que j'aime être Virginia ; mais seulement quand je me sens dispersée, multiple et grégaire. Et maintenant, tant que nous serons ici, je voudrais *n'être que sensibilité*. » [5] Une sensibilité qui n'est pas celle de la « vie », puisqu'il faut « sortir de la vie » et « vivre dans son cerveau », c'est-à-dire « se concentrer » au lieu de se disperser au dehors, pour que fonctionne cette sensibilité particulière, exclusivement tournée vers le travail de l'œuvre.

***

4

> « ... trouver en faisant. »
>
> E. DELACROIX.
>
> « Devant le papier l'artiste *se fait*. »
>
> St. MALLARMÉ.
>
> « Les belles œuvres sont filles de leurs formes. »
>
> P. VALÉRY.

Tourné vers l'œuvre, engagé dans une série de recherches formelles, l'artiste n'est pourtant pas tourné vers le dehors. Il n'y a de forme en art que vécue et travaillée de l'intérieur. L'écrivain n'écrit pas pour dire

---

(5) *Journal d'un écrivain*, trad. G. Beaumont, Monaco, 1958, p. 93 (22 août 1922).

quelque chose, il écrit pour *se dire,* comme le peintre peint pour se peindre; mais, s'il est artiste, il ne se dit, il ne se peint que par le moyen de cette composition qu'est une œuvre.

Gardons-nous donc de la tentation qui mènerait à concevoir schématiquement la création sur le mode mécanique ou artisanal; création n'est pas fabrication. Loin d'être un passage du dedans au dehors, du sujet à l'objet, elle doit nous apparaître comme une démarche toujours intérieure, qui ne recourt aux matériaux et aux techniques, aux moyens du langage et aux formes naturelles que pour les intérioriser. Mais nous savons aussi que cette création ne peut se passer de ces matières et de ce langage qui participent à sa genèse. De là le « drame de l'exécution » qui a tant intéressé Valéry. Dans toute œuvre vivante, la pensée ne se dissocie pas du langage qu'elle invente pour se penser, l'expérience s'institue et se développe à travers les formes. L'artiste ne connaît pas d'autre instrument de l'exploration et de l'organisation de soi-même que la composition de son œuvre; « une œuvre d'homme n'est rien d'autre que ce long cheminement pour retrouver par les détours de l'art les deux ou trois images simples et grandes sur lesquelles le cœur, une première fois, s'est ouvert » [6].

Dans cette page testamentaire, Camus se trouve en pleine conformité avec une tradition moderne déjà bien établie, qu'on peut suivre de Delacroix à Mallarmé et à Valéry : avant d'être production ou expression, l'œuvre est pour le sujet créateur un moyen de se révéler à lui-même. C'est par exemple Bernanos reconnaissant au roman qu'il est en train d'écrire un pouvoir d'investigation et de mise au jour de ses profondeurs : « Je suis un romancier, c'est-à-dire un homme qui vit ses rêves, ou les revit sans le savoir. Je n'ai donc pas d'intentions », mais j'avance « à tâtons » et « dans l'obscurité » [7]. Le romancier a besoin de son roman

---

(6) Camus, *L'envers et l'endroit,* Paris, 1958, Préface, p. 33.

(7) Lettre du 18 août 1946, dans le « Bulletin des amis de Bernanos ». N° 4 (juin 1950), p. 7.

pour savoir ce qu'il voulait dire et ce qu'il voulait faire. Ceci n'est pas vrai seulement de Bernanos, auteur à demi somnambulique, mais l'est également d'un artiste aussi volontaire que Henry James; ses *Carnets* le montrent allant à la découverte de la figure et de la signification du roman en cours d'exécution; le personnage le plus « jamesien » des *Dépouilles de Poynton* se forme et se développe après la conception, parce que le roman avait besoin d'un « centre »; ce centre sera la conscience de Fleda Vetch; « Peu à peu, à mesure que je presse, que je réfléchis, mon dénouement semble me venir, — il s'ordonne dans ses justes proportions et se *compose* » (30 mars 1896). C'est l'œuvre, c'est la structure de l'œuvre qui est inventrice; « une forme est féconde en *idées* » [8].

Ce sont des observations de ce genre, qu'on multiplierait aisément, qui invitent à considérer l'art comme création de formes dégageant leur signification. Aussi concluera-t-on sur ce point dans les termes mêmes de Gaëtan Picon, qui poursuit depuis une dizaine d'années la méditation la plus éclairante sur la nature de l'art telle qu'elle nous apparaît au terme d'un siècle de recherches et de réflexions sur ces recherches : « Il y a une conscience moderne de l'art qui, confrontée à la conscience qui la précède, nous suggère qu'un art de création vient d'être substitué à un art d'expression. Avant l'art moderne, l'œuvre semble l'expression d'une expérience antérieure..., l'œuvre dit ce qui a été conçu ou vu; si bien que de l'expérience à l'œuvre, il n'y a que le passage à une technique d'exécution. Pour l'art moderne, l'œuvre n'est pas expression, mais création : elle donne à voir ce qui n'a pas été vu avant elle, elle forme au lieu de refléter » [9].

Grande différence, et, à nos yeux, grande conquête de l'art moderne, ou plutôt de la conscience que cet art prend du processus créateur : la conception et l'exécu-

(8) P. Valéry, *Degas, danse, dessin*, p. 107.
(9) *L'usage de la lecture*, t. II, Paris, 1961, p. 289.

tion sont contemporaines, l'image de l'œuvre n'est pas antérieure à l'œuvre, alors que les théoriciens de la Renaissance et du XVIIe siècle posaient la préexistence de l'*Idée,* du *dessein intérieur,* et son indépendance à l'égard de la réalisation [10] : une « forme parfaite » est créée, ou reçue dans l'esprit, et l'artiste tentera de l'exprimer; une œuvre mentale précède l'œuvre elle-même, qui n'en sera peut-être que le reflet lointain et dégradé.

Pourquoi ce schéma — à vrai dire simplifié à l'extrême [11] — ne nous paraît-il plus acceptable ? C'est que nous ne comprenons plus l'idéalisme très réfléchi sur lequel il reposait, nos positions philosophiques implicites ne sont plus les mêmes; mais surtout nous bénéficions d'une prise de conscience de la part des artistes et des poètes, ainsi que d'une longue réflexion critique qui ont modifié profondément notre psychologie de l'art et notre esthétique. Sans doute est-ce l'esthétique qui a changé plus que la création elle-même. Que Racine ait pu dire que sa tragédie était faite quand le plan en était écrit, et que l'exécution était plus facile que la « constitution », nous avons quelque peine à le croire; mais sommes-nous bien certains de l'entendre comme il l'entendait ? Flaubert, lui aussi, déclarait que tout était dans le plan, mais ici nous sommes mieux renseignés, nous connaissons les prévisions, les préparations et les étapes de la genèse — plans, scénarios, esquisses, brouillons — et nous pouvons assister ainsi à la longue gestation, aux surprises et aux inquiétudes qu'elle réserve au romancier. De l'essai consacré dans cet ouvrage à *Madame Bovary,* il ressort que ce qui

(10) Cf. par exemple ZUCCARI, *L'Idea de'pittori...* (1607) : « questa immagine ideale formata nella mente *e poi* espressa e dichiarata per linea, o in altra maniera visiva, è detta volgarmente Disegno... » (cité par PANOFSKY, *Idea,* p. 148 de l'éd. italienne).

De son côté, Félibien, parmi les divers sens du mot « dessein », cite l'idée que le peintre a dans l'esprit avant de faire le tableau, « la pensée ou volonté qu'on a de faire quelque chose » (*Entretiens,* II, p. 279 ss.).

(11) On nuancera à l'aide des ouvrages de base : E. PANOFSKY, *Idea,* Berlin, 1924; D. MAHON, *Studies in Seicento Art and Theory,* Londres, 1947, et A. BLUNT, *Artistic Theory in Italy, 1450-1600,* Londres, 1940.

n'était pas prévu dans les plans initiaux, c'est justement ce qu'il y a de plus flaubertien dans le roman. L'exécution révèle à Flaubert ce qu'il ne pouvait connaître sans elle : Flaubert lui-même. C'est dans l'œuvre que se cache le secret de l'ouvrier; c'est en composant, c'est dans l'avènement de la forme que l'artiste se fait poète, peintre ou musicien. Ce n'est pas avant ou après, c'est à travers la création qu'il devient celui qu'il est. « Trouver en faisant », écrit Delacroix, que l'on surprend souvent à hésiter, à osciller entre les deux consciences de l'art qui se disputaient son esprit, celle des classiques qui était encore celle de son temps, et celle de l'avenir que son expérience lui faisait parfois entrevoir. Ces incertitudes, ces inquiétudes contribuent à l'exceptionnel intérêt de son *Journal.*

L'œuvre est donc pour l'artiste un instrument privilégié de découverte. Guidé, ordonné, modelé par l'œuvre qu'il compose, c'est à travers elle que le poète se découvre poète. « Dans mon *Faune,* écrit Mallarmé..., je me livre à des expansions estivales *que je ne me connaissais pas, tout en creusant* beaucoup *le vers...* », et il n'en va pas autrement d'*Hérodiade,* « où je m'étais mis tout entier *sans le savoir...,* et dont j'ai enfin trouvé le fin mot... » ; « je compte sur mon poème pour *ordonner* et faire chanter juste les images », dira de son côté Supervielle [12].

Qu'il le sache ou qu'il l'ignore, qu'il soit Mallarmé ou Racine, Supervielle ou Flaubert, tout artiste porte en lui un secret que la création a pour but de lui révéler. Pourquoi créerait-il, s'il n'avait ce secret à mettre au jour ? Si tout était déjà dans l'idée préexistant à l'œuvre, quel besoin aurait-il de l'œuvre pour en savoir davantage ? Mais comment le saurait-il avant d'avoir donné à son secret forme et organisation ? [13]

(12) Flaubert, *Corr.,* I, p. 171 et 221.
Supervielle, *Naissances,* Paris, 1951, p. 61.

(13) Secret préalable et dévoilement de ce secret par l'œuvre : on voit se concilier d'une certaine manière l'ancienne et la nouvelle esthétique, le secret préexistant pouvant correspondre à l'Idée des Renaissants, mais détachée de tout néo-platonisme.

Balzac fait dire à l'un de ses personnages, qui est peintre, qu'un peintre doit toujours « méditer les brosses à la main », ce qui, dans le contexte des *Etudes philosophiques,* vaut également pour le musicien, pour l'écrivain. Cela revient à dire qu'en art la pensée ne se sépare pas de l'exécution, la vision est vécue dans la forme; « dans la peinture, dans la poésie, la forme se confond avec la conception » (Delacroix) [14]. L'artiste vit son œuvre, vit dans son œuvre, et c'est sans doute ce qu'il vit avec le maximum d'intensité.

Cette union organique et cette intime réciprocité sont tellement inhérentes à toute création qu'elles constituent, me semble-t-il, la définition de l'œuvre d'art : l'épanouissement simultané d'une structure et d'une pensée, l'amalgame d'une forme et d'une expérience dont la genèse et la croissance sont solidaires.

*
* *

5

« A chaque œuvre sa forme. »
H. de Balzac.

Quelles sont dès lors les droits et les obligations du contemplateur et du lecteur critiques ?

Si l'œuvre est principe d'exploration et agent d'organisation, elle pourra utiliser et recomposer toute espèce d'éléments empruntés à la réalité ou au souvenir, elle le fera toujours en fonction de ses exigences et de sa vie propre; elle est cause avant d'être effet, produit ou reflet, ainsi que Valéry aimait à le rappeler [15]; aussi l'analyse portera-t-elle sur l'œuvre seule, dans sa soli-

---

(14) *Journal,* t. III, p. 28 (13 janvier 1857).

(15) Ni effet, ni symptôme pour le psychologue, Jung lui-même en convient : « La psychologie personnelle du créateur rend compte de certains traits de son œuvre, mais ne l'explique pas. » *Problèmes de l'âme moderne,* Paris, 1960, p. 322.

tude incomparable, telle qu'elle est issue des « espaces intérieurs où l'artiste s'est abstrait pour créer »[16]. Et s'il n'y a d'œuvre que dans la symbiose d'une forme et d'un songe, notre lecture s'appliquera à les lire conjointement en saisissant le songe à travers la forme.

Mais comment saisir la forme ? à quoi la reconnaître ? Tenons tout d'abord pour assuré qu'elle n'est pas toujours où on s'imagine la voir, qu'étant jaillissement des profondeurs et révélation sensible de l'œuvre à elle-même, elle ne sera ni une surface, ni un moulage, ni un contenant, qu'elle n'est pas plus la technique que l'art de composer et qu'elle ne se confond pas nécessairement avec la recherche de la forme, ni avec l'équilibre voulu des parties, ni avec la beauté des éléments. Principe actif et imprévu de révélation et d'apparition, elle déborde les règles et les artifices, elle ne saurait se réduire ni à un plan ou à un schéma, ni à un corps de procédés et de moyens. Toute œuvre est forme, dans la mesure où elle est œuvre. La forme en ce sens est partout, même chez les poètes qui se moquent de la forme ou visent à la détruire. Il y a une forme de Montaigne et une forme de Breton, il y a une forme de l'informe ou de la volonté iconoclaste comme il y a une forme de la rêverie intime ou de l'explosion lyrique. Et l'artiste qui prétend aller au-delà des formes le fera par les formes — s'il est artiste. « A chaque œuvre sa forme », le mot de Balzac prend ici tout son sens.

Mais il n'y a de forme saisissable que là où se dessine

---

(16) Proust, *A la recherche du temps perdu*, t. I, p. 645 (éd. Pléiade).

Qu'on ne voie pas ici une déclaration de guerre ou de dédain à l'histoire littéraire; je la tiens pour indispensable dès qu'on s'attaque aux œuvres du passé, mais comme prolégomène et garde-fou; elle n'est qu'un moyen au service de la critique et de l'interprétation. Ici, je fais de la critique, non de l'histoire littéraire; l'histoire, l'érudition, la biographie des œuvres (non des auteurs) doivent être pratiquées et utilisées, mais à leur place et à leur rang de sciences auxiliaires, et nécessaires, dans la mesure exacte où l'œuvre analysée les peut requérir. L'essentiel est de ne pas mélanger des activités qui ont intérêt à demeurer distinctes.

un accord ou un rapport, une ligne de forces, une figure obsédante, une trame de présences ou d'échos, un réseau de convergences; j'appellerai « structures » ces constantes formelles, ces liaisons qui trahissent un univers mental et que chaque artiste réinvente selon ses besoins.

Convergences, liaisons, ordonnances; mais on évitera de tout ramener aux seules vertus de proportion et d'harmonie. C'est une habitude ancienne, une habitude « classique » et qui survit chez un Valéry, de définir la forme comme relation des parties au tout. Sans doute, il en est souvent ainsi, et je recourrai à ce principe dans mon analyse du roman de Proust; l'auteur lui-même m'y invitait expressément. Ce n'est pourtant qu'un critère parmi d'autres. Balzac a raison : « à chaque œuvre sa forme ». Ni l'auteur ni le critique ne savent à l'avance ce qu'ils trouveront au terme de l'opération. L'instrument critique ne doit pas préexister à l'analyse. Le lecteur demeurera disponible, mais toujours sensible et aux aguets, jusqu'au moment où surgira le signal stylistique, le fait de structure imprévu et révélateur. Dans le cas des œuvres étudiées ici, ce sera une certaine alternance caractérisant la *Princesse de Clèves*, ou, chez Marivaux, une distribution particulière des fonctions actives et passives, tandis que le Flaubert de *Madame Bovary* appelle une analyse du point de vue. Les voies d'approche sont aussi libres et diverses que peut l'être l'invention de l'écrivain.

Il n'en reste pas moins vrai que, même si elle se manifeste de façon très variable, la tendance à l'unité, à ce que Proust nomme la « complexité ordonnée », marque la plupart des œuvres; il arrivera souvent que l'un des faits de composition à retenir soit un fait de relation interne. L'œuvre est une totalité et elle gagne toujours à être éprouvée comme telle. La lecture féconde devrait être une lecture globale, sensible aux identités et aux correspondances, aux similitudes et aux oppositions, aux reprises et aux variations, ainsi qu'à ces nœuds et à ces carrefours où la texture se concentre ou se déploie.

De toute façon, la lecture, qui se développe dans la durée, devra pour être globale se rendre l'œuvre simultanément présente en toutes ses parties. Delacroix fait observer que si le tableau s'offre tout entier au regard, il n'en est pas de même du livre; le livre, semblable à un « tableau en mouvement », ne se découvre que par fragments successifs. La tâche du lecteur exigeant consiste à renverser cette tendance naturelle du livre de manière que celui-ci se présente tout entier au regard de l'esprit. Il n'y a de lecture complète que celle qui transforme le livre en un réseau simultané de relations réciproques; c'est alors que jaillissent les surprises heureuses et que l'ouvrage émerge sous nos yeux, parce que nous sommes en mesure d'exécuter avec justesse une sonate de mots, de figures et de pensées.

Sonate plutôt que tableau — car le livre n'échappe pas à sa nature successive ; s'il est bon de le restituer, par une opération de la mémoire et de la reprise inlassable, à un espace idéal qui le rende partout contemporain à lui-même, on n'oubliera pas non plus qu'il participe de l'ordre musical; il se développe, il se déroule, il s'écoule, il vit dans la progression, il se découvre et se révèle dans le temps; il obéit à des rythmes, à des mouvements, à des cadences; il s'assujettit à des lois qui sont celles de la présentation successive. Aussi tiendra-t-on compte, surtout dans le roman, mais également au théâtre, des relations d'antériorité ou de postériorité d'une figure ou d'une situation au regard de toutes celles qui l'entourent, des moments d'apparition ou de fuite d'un motif, de l'étirement ou de l'accumulation des données, des préparations qui annoncent et des retours qui évoquent, des emplois possibles de la mémoire ou de l'attente du lecteur, et bien entendu des effets de vitesse, de tempo. Balzac nous invite à lire ses romans dans cet esprit, lorsqu'il attire notre attention sur les différences de mouvement qui opposent la précipitation des *Scènes de la vie parisienne* à la lenteur des *Scènes de la vie de province*. L'essentiel de sa vision de Paris et de la province tient dans ces deux rythmes.

Espace et temps, ce sont deux des claviers sur lesquels l'œuvre littéraire se construit et se lit, selon toute une gamme d'étendues et de durées variables, qui vont du sonnet ou de la courte prose poétique moderne, textes « stationnaires », à l'immense texte en mouvement qu'est la *Comédie humaine;* ils exigeront du lecteur des modes très différents de participation. Mais quels que soient la nature du texte et le rythme sur lequel nous avons à le vivre, ce qui nous est demandé, c'est toujours une participation à l'existence d'un être spirituel que nous ne pouvons comprendre qu'à la faveur d'un acte d'adhésion totale qui exclut, du moins provisoirement, tout jugement.

***

6

« L'unité et la consistance de la forme. »
P. VALÉRY.

Pourquoi le critique, en dépit d'habitudes invétérées, serait-il un juge ? Celui qui lit sérieusement renonce, durant sa lecture, à juger; pour juger, il faudrait se tenir à distance et au dehors, réduire l'œuvre à l'état d'objet, d'organisme inerte. Le lecteur pénétrant s'installe dans l'œuvre pour épouser les mouvements d'une imagination et les dessins d'une composition; il est trop occupé à participer pour se reprendre, à vivre une aventure d'être pour se poser en spectateur. Comment jugerait-il ce dont il se rend si intimement complice ?

Cependant, ce lecteur mimétique, si proche de l'auteur qu'il est plus intime à l'auteur que l'auteur lui-même, il n'est pas l'auteur. Il ne compose pas l'œuvre, il la revit pour en dégager la composition, il l'explore pour la montrer. Mais s'il ne trouve rien à montrer ? Si le texte, au lieu de se construire, se défait sous son regard ? Si, aux questions qu'il lui pose ne répond ni l'épaisseur d'une imagination cohérente, ni la consistance d'un organisme vivant, le contact alors se rompt, la complicité se dénoue. Devant une œuvre qui n'a pas opposé la résistance et la richesse voulues, le lecteur se démet et se détourne. Son échec de critique constate, à tort ou à raison, l'échec de l'œuvre. Dès lors qu'il ne peut pénétrer et s'incorporer, il redevient étranger, donc juge. Mais le jugement qu'il prononce est un jugement de fait, sans nulle référence ni à des normes, ni à un goût objectif. Il trouve ou il ne trouve pas à adhérer. Ainsi jugent — et comment faire autrement ? — la plupart d'entre nous, en ce siècle qui n'a d'autre vérité que l'expérience intime de chacun. Mais le pouvoir d'accueil du critique et sa plasticité le mettront rarement en position de refus.

Ce lecteur complet que j'imagine, tout en antennes et en regards, lira donc l'œuvre en tous sens, adoptera des perspectives variables mais toujours liées entre elles, discernera des parcours formels et spirituels, des tracés privilégiés, des trames de motifs ou de thèmes qu'il suivra dans leurs reprises et leurs métamorphoses, explorant les surfaces et creusant les dessous jusqu'à ce que lui apparaissent le centre ou les centres de convergence, le foyer d'où rayonnent toutes les structures et toutes les significations, ce que Claudel nomme le « patron dynamique ». Mais il sera particulièrement alerté lorsqu'il découvrira, entre ces structures formelles et ces significations, des zones de coïncidence, des points de suture. Car les « thèmes » insistants qui signalent une piste de la rêverie peuvent être en même temps des « schèmes » formels par la fonction qui leur est assignée dans l'organisation générale, leur situation dans le développement, leurs phases d'affleurement ou d'immersion, de condensation ou d'alternance, leur contribution aux rythmes d'ensemble, leurs relations respectives. Aux structures de l'imagination correspondent de toute nécessité des structures formelles. Les mêmes principes secrets qui fondent et organisent la vie sous-jacente d'une création organisent aussi la composition.

Principes secrets : la composition, l'action sur les formes, les partis de présentation, les choix techniques eux-mêmes sont commandés par les forces et les suggestions implicites qui gouvernent obscurément l'artiste au travail. On a vu la part qu'il fallait faire à la réaction de l'œuvre sur le créateur. Ce que palpent nos antennes de lecteur, ce sont les intentions de l'œuvre, plutôt que les intentions de l'auteur.

Pour n'en citer qu'un exemple pris dans les essais qui suivent, le motif des fenêtres et des vues plongeantes dans *Madame Bovary*[17] constitue à la fois un thème impérieux de la rêverie flaubertienne, un schème morphologique, un moyen d'articulation; on peut tenir pour probable que ce motif important a échappé à la volonté constructrice et à la conscience claire de Flaubert. J'en dirais autant de la composition en double palier dont on retrouve les combinaisons variables dans tous les ouvrages de Marivaux, ou de l'écran séparateur qui joue un rôle décisif dans toutes les scènes capitales du théâtre de Claudel.

*
* *

7

> « Mais il est impossible d'échapper aux formes. »
>
> MARCEL RAYMOND.

> « C'est le propre de l'œuvre à la fois d'inventer ses structures et de les dépasser. »
>
> GEORGES POULET.

Est-il besoin de dire maintenant quels sont ceux de qui je me sens proche ? Marcel Raymond m'a le premier montré la voie : la tâche du critique est d'accompagner et de restituer le jaillissement d'une sensibilité poétique, en faisant au poète et au langage poétique une

---

(17) Cf. ci-dessous, p. 123-131.

confiance totale; démarche souple et transparente qui épouse de près les cheminements par lesquels un esprit transmue l'univers; lecture attentive tout ensemble au sentiment de l'existence, au contact d'une conscience avec les choses et à son élaboration dans l'être concret des mots.

Puis sont venus, après Charles Du Bos, dont l'essai sur le « milieu intérieur » chez Flaubert est une des chartes de la critique moderne en France, après Albert Béguin et son grand livre sur l'*Ame romantique* qui est beaucoup plus qu'une étude sur le romantisme, Gaston Bachelard, Georges Poulet et Leo Spitzer, et enfin, à côté d'eux ou à leur suite, Gaëton Picon, Jean Starobinski et Jean-Pierre Richard, dont les leçons, si diverses en apparence, finissent à mes yeux par se rencontrer toutes au même carrefour.

Gaston Bachelard, grand maître des rêveries, met l'accent sur la fécondité de vie et de métamorphose de l'imagination, fonction centrale et irremplaçable en poésie; de là, l'importance extrême de cette exploration si neuve pour quiconque est appelé à hanter les poètes. Admirable et heureux interprète, parce qu'il sait rêver jusqu'au bout les rêveries de ses poètes, Bachelard se soucie davantage de l'imagination universelle, celle de tous et de chacun, que de l'univers imaginaire propre à un poète [18].

Avec Georges Poulet, toute l'attention, une attention exceptionnellement pénétrante et rigoureuse, se tourne vers l'activité spirituelle du sujet créateur, conscience intime et solitaire qui fonde et justifie une œuvre, « pensée qui se pense » et se parle à travers l'œuvre et que le critique révèle en la revivant, en la parcourant du dedans. Cette sensibilité extrême à « l'espace du dedans », à l'intériorité de la littérature agira sur l'analyste des formes comme un indispensable avertissement à éviter certaines tentations : l'extériorité, la réduction des formes à des techniques, l'inventaire stylistique, le

(18) Mis à part son *Lautréamont* et tel chapitre sur E. Poe.

recensement anonyme, le passe-partout pris pour une clé; rien ne devrait nous intéresser qui ne fût lié à la subjectivité créatrice. Pour cette raison même, Georges Poulet porte peu d'intérêt à l'*art*, à l'œuvre en tant que réalité incarnée dans un langage et des structures formelles, il les soupçonne d' « objectivité » : le critique court le danger de les saisir du dehors.

C'est assurément ce qu'il faut éviter à tout prix. C'est pourquoi je me retourne ici d'abord vers Marcel Raymond, parce qu'il lui importe de saisir un langage et un déploiement formel autant qu'une sensibilité, ensuite vers Leo Spitzer; ce grand philologue nous donne des modèles d'études stylistiques établies sur l'union du mot et de la pensée : un écart, un accident du langage, s'il est bien choisi, trahira un « centre affectif » de l'auteur qui est en même temps un principe de cohésion interne de l'œuvre; tout détail est homogène à l'ensemble; « *style et âme* sont deux données immédiates et, au fond, deux aspects, artificiellement isolés, du même phénomène intérieur » [19]. Conception moderne du style, qui n'est plus un instrument impersonnel, mais tout au contraire ce qu'il y a de plus individuel. de plus irréductible chez l'artiste, le signe même de sa vision; ainsi que l'a écrit Proust , « le style est une question non de technique, mais de vision » [20]. L'artiste n'a pas un style, il *est* son style. Sur cette conviction repose la « méthode » de Spitzer.

Ce qui le distingue de Georges Poulet, dont les essais embrassent toujours les écrits d'un auteur dans leur totalité, c'est que Spitzer s'attaque à une œuvre isolée — un poème de Villon ou de Du Bellay, un roman de Cervantès ou de Marivaux, une tragédie de Racine —, et qu'il la traite comme un organisme complet, comme un tout qui se suffit à lui-même.

Question importante en effet : faut-il chercher l'artiste dans l'ensemble d'une production indifférenciée,

---

(19) Romanische Literaturstudien, Tubingue, 1959, p. 329. Cf. H. Focillon, *Vie des Formes*, p. 11.

(20) A la recherche..., t. III, p. 895.

ou le trouve-t-on condensé tout entier comme en un miroir concentrique dans n'importe laquelle de ses œuvres concrètement achevées ? Regardera-t-on celles-ci comme autant de fragments d'un tout ou comme des ensembles complets dans lesquels le créateur est totalement présent ?

La réponse pourra varier, de toute évidence, selon l'auteur et selon le critique. Si le vrai Baudelaire est peut-être dans le seul *Balcon,* et tout Flaubert dans *Madame Bovary* seule, Balzac n'apparaît pleinement que dans la *Comédie humaine* et dans le tissu de rapports que tous ses romans entretiennent les uns avec les autres. Borromini est parfaitement présent dans Saint-Yves, tandis que Tintoret a besoin de remplir Saint-Roch pour dire son gigantesque poème en mouvement.

Mais où une œuvre s'arrête-t-elle ? Celui qui ne se contente pas du tableau ou du texte isolé fera logiquement appel à tout ce que l'artiste a pu laisser, esquisses, brouillons, correspondances et journaux intimes compris, et il n'aura pas tort, surtout si c'est le sujet créateur qu'il vise. Baudelaire se trouve aussi dans *Fusées* et dans les *Paradis artificiels,* et revenant au *Balcon* après *Fusées* et les *Paradis,* nous lisons mieux le *Balcon.* Baudelaire est peut-être tout entier dans le *Balcon,* mais nous ne savons l'y voir que si nous connaissons tout ce qu'il a écrit.

Mais l'auteur est-il également présent dans le poème et dans les notes journalières ? Où se trouve-t-il le plus pleinement lui-même, dans la confession improvisée ou dans l'écrit le plus travaillé? Ici encore la réponse différera selon les cas. Mais il n'est pas sûr qu'il soit toujours plus présent là où il s'exprime le plus librement, et que l'écriture la moins surveillée soit l'écriture la plus personnelle; le premier jet n'est pas nécessairement le jet profond; il peut très bien arriver que ce soit en luttant contre lui-même que le poète rejoigne sa spontanéité réelle et qu'il lui faille construire et élaborer pour libérer son monde imaginaire le plus personnel. « Le spontané est le fruit d'une conquête ».

dit Valéry [21]. Et chez un artiste, il n'est de conquête que par l'œuvre et la forme. Aussi faudra-t-il admettre des degrés variables de présence, selon la nature de l'écrit considéré. La correspondance de Flaubert nous est précieuse, mais dans Flaubert épistolier je ne reconnais pas Flaubert romancier; quand Gide déclare préférer le premier, j'ai le sentiment qu'il choisit le mauvais Flaubert, celui du moins que le romancier a tout fait pour éliminer. Plutôt que de choisir entre les deux Flaubert, mieux vaut les admettre l'un et l'autre, mais en les plaçant à des niveaux distincts de plénitude et de vérité.

C'est ici qu'intervient la perspective que j'ai adoptée. Si l'œuvre est dans sa forme, elle est complète et significative telle que l'artiste l'a composée, poème concret, roman achevé, et le reste ne devrait apporter que des enrichissements, des démentis ou des moyens de fixer une éventuelle évolution; l'œuvre comme telle ne peut être ni augmentée ni diminuée; elle est, et elle rayonne par son être même; une structure organisée ne saurait être mise en question, que ce soit pour l'ignorer ou pour la démanteler. *Madame Bovary* constitue un organisme indépendant, un absolu qui se suffit à lui-même, un ensemble qui se comprend et s'éclaire par lui-même.

Mais est-ce bien certain ? Sommes-nous assurés de tout voir dans un être si complexe, de prendre tous les points de vue utiles, de déceler réellement ce qui lui appartient en propre et n'appartient à nul autre ? Peut-être les caractères flaubertiens de *Madame Bovary* n'apparaîtront-ils en pleine lumière que par le rapprochement avec l'*Education*, avec *Salambô*, avec *Bouvard ?* ce qui ne s'offre qu'une fois au regard peut passer inaperçu et ne prendre toute sa réalité que par la répétition; les ressemblances dans la diversité et les permanences dans la succession sont souvent les signes d'une identité profonde. Telle était la méthode de Proust : « entre deux tableaux d'un même peintre il

(21) *Pièces sur l'art*, p. 141.

aperçoit une même sinuosité de profils, une même pièce d'étoffe, une même chaise, montrant entre les deux tableaux quelque chose de commun : la prédilection et l'essence de l'esprit du peintre » [22]. Ainsi qu'il le fait exposer dans la *Prisonnière* par son héros, au cours de sa conversation littéraire avec Albertine, cette « essence commune » se dégagera de la comparaison ; c'est en *superposant* plusieurs œuvres de Vinteuil ou de Vermeer, plusieurs romans de Thomas Hardy ou de Stendhal qu'il découvre ce qui leur appartient en propre ; la « beauté nouvelle », particulière à Dostoievski, « elle reste identique dans toutes les œuvres de Dostoïevski ». Mais, à superposer tous les romans de Dostoievski pour en extraire l'élément commun, ou tous les tableaux de Vermeer pour isoler de chacun d'eux « la même table, le même tapis », on les démembre. Ce ne sont pas les tableaux existants que l'on contemple, c'est un tableau idéal que Vermeer n'a jamais peint ; et ce tableau idéal, pur reflet du monde imaginaire, de l' « essence » spirituelle du peintre, on le tienda pour plus vermeerien que tous ses tableaux réels. On comprend peut-être mieux Vermeer, ne risque-t-on pas de ne plus comprendre les tableaux ? Mais Vermeer, ce sont ses tableaux ; cette méthode critique semble détruire le tableau, mais c'est pour mieux le reconstruire. On reviendra à l'œuvre existante et à l'organisme concret pour le voir à la lumière de l'œuvre utopique et le revivre dans le mouvement de l'esprit créateur.

Cette méthode ne diffère pas beaucoup de celle qu'expose Jean-Pierre Richard dans l'Introduction de son *Univers imaginaire de Mallarmé :* « la forme isolée — tel sonnet, quatrain, distique, poème en prose de Mallarmé — se trouve d'abord noyée dans une sorte de continuité signifiante qui est l'Œuvre de Mallarmé, mais cette absorption permet finalement de comprendre et de justifier la forme qu'elle paraissait abolir, en en découvrant intérieurement, et sur d'autres plans du

(22) *Contre Sainte-Beuve*, p. 302.

vécu, la nécessité »[23]. Il s'agit, en d'autres termes, de restituer l'œuvre latente pour mieux saisir l'œuvre concrète ; on tourne le dos à l'univers formel pour le mieux retrouver. Les analyses de J.-P. Richard sont si intelligentes, les résultats si neufs et convaincants qu'on doit lui donner raison, pour ce qui le concerne. Mais, conformément à ses perspectives propres, c'est au monde imaginaire du poète, à l'œuvre latente qu'il s'intéresse d'abord, plutôt qu'à sa morphologie et à son style.

Est-il possible d'embrasser à la fois l'imagination et la morphologie, de les sentir et de les saisir dans un acte simultané ? C'est ce que je voudrais essayer, bien persuadé cependant que ma démarche, avant d'être unitaire, devra souvent se faire alternative. Mais la fin poursuivie, c'est bien cette compréhension simultanée d'une réalité homogène dans une opération unifiante.

***

8

Sans l'opération du critique, l'œuvre court le risque de demeurer invisible. Comment serait-elle sentie si elle n'a pas été comprise et révélée ? Mais il faut en convenir, cet acte indispensable à son existence ne la remplace pas. C'est le paradoxe de la critique, et peut-être son drame : l'œuvre a besoin de la critique, c'est-à-dire d'un regard qui la pénètre, mais la critique tend à se constituer en œuvre de l'œuvre, en un au-delà de l'œuvre, où l'œuvre est tout entière, sauf sa présence. Cette présence concrète, la critique ne pourra jamais en fournir l'équivalent ; elle nous donne toute l'œuvre, mais quelque chose nous échappe, ce contact charnel qu'est l'œuvre même.

---

(23) *L'Univers imaginaire de Mallarmé,* Paris, 1961, p. 31.

Je termine par où j'ai commencé. L'expérience première, c'était celle d'un seuil à franchir et d'une porte qui s'ouvre sur un monde différent. Après un long circuit destiné à présenter le critique comme le médiateur nécessaire entre les deux univers distincts du créateur et du contemplateur, jusqu'au point idéal où s'effaceraient les distances séparatrices, où le contemplateur s'identifierait au créateur, je redécouvre finalement la distance et la séparation. Quand j'arrivais devant l'œuvre, le choc du premier contact me révélait une autonomie ; parvenu au moment de quitter l'œuvre après l'avoir parcourue en tous sens, je refais une expérience similaire ; revenant à moi, et au monde commun, je laisse derrière moi une partie de ma prise ; ce que j'emporte n'est pas l'œuvre tout entière, puisque je suis privé de cette présence et de ce contact irremplaçables. Je croyais lui avoir arraché toutes ses significations et toutes ses structures, et je dois constater qu'il me manque quelque chose, qu'une part du secret demeure ensevelie derrière moi, dans ce livre que je referme, dans ce tableau dont je m'éloigne. A peine m'en suis-je détourné que j'éprouve le besoin de combler l'absence qui s'ébauche par un retour à ce contact sans analogue, à cette présence irréductible. Même si la saisie des significations à travers les formes m'assure un maximum de possession, je sens bien que la relation de l'œuvre et de son lecteur, du créateur et de son « ombre » ne saurait se concevoir que sur le mode d'un va-et-vient infini et d'une consommation que l'œuvre seule rassasie.

*
* *

Les essais qui composent cet ouvrage se conforment tous à la perspective définie dans l'Introduction. Des analyses de formes, pour être suivies avec fruit par le lecteur, doivent porter sur des œuvres bien connues de lui ; c'est pourquoi j'ai choisi des textes qui sont dans toutes les mémoires : *Polyeucte*, la *Princesse de Clèves*, les *Liaisons dangereuses*, *Madame Bovary*, et, pour les études d'ensemble, des auteurs tels que Marivaux, Proust et Claudel.

Avec *Polyeucte* et l'œuvre dramatique de Claudel, le théâtre ouvre et clôt le volume : une pièce traitée isolément, à titre d'exemple d'une structure fondamentale propre au génie de Corneille ; et un groupe de pièces considérées comme unité collective en voie de formation. Claudel s'y montre allant à la découverte de sa situation centrale, autour de laquelle s'organiseront ses drames ; il la cherche à tâtons dans ses premières pièces ; quand il l'a trouvée, il en exploite toutes les virtualités et en donne une série de combinaisons différentes. On peut suivre ici l'exploration qu'un artiste fait de son univers imaginaire à l'aide de ses œuvres successives et le rôle joué dans cette recherche par une certaine forme dramatique, qui occupe une fonction-clé à la fois dans la composition des pièces et dans la rêverie du poète.

Les romans se taillent la part du lion. Pour la *Princesse de Clèves*, j'ai demandé un point de départ aux critiques de l'époque, parce qu'ils ont été étrangement attentifs à un fait de structure : les digressions insérées dans le récit ; mais ils m'ont paru d'autre part trop insensibles aux vertus d'une composition pourtant exceptionnellement savante et chargée de valeurs significatives. C'est qu'ils étaient — déjà — engagés dans l'ornière « réaliste », c'est-à-dire avant tout préoccupés de la vraisemblance de l'histoire et de ses rapports avec leur propre réalité.

Madame Bovary m'a conduit à une étude du point de vue et des relations qui unissent à cet égard le romancier et son héroïne ; c'est une manière de suivre de près, sur un point essentiel, Flaubert artiste de la mise en scène. Ce qui m'a mené à adopter cette perspective à laquelle je n'avais d'abord pas songé, c'est un fait de composition assez insolite, qui frappe le lecteur dès l'ouverture du roman : la position prépondérante de Charles Bovary dans les premiers chapitres, alors qu'Emma en est absente. Ce petit problème demandait une explication qui, de proche en proche, m'a ouvert un chemin vers l'un des foyers de la création flaubertienne.

Si *Madame Bovary* peut, à la rigueur, être lue comme un tout, isolable des autres romans de son auteur, il n'en va pas de même de la *Vie de Marianne*. Marivaux est de ces poètes qui, présents de manière diffuse dans leur œuvre, la constituent comme un ensemble où chacune des parties renvoie à toutes les autres et a besoin de toutes les autres pour être complète ; ce qui est si attachant dans cette œuvre admirable, c'est son unité profonde à travers la diversité et la souplesse des réalisations. C'est à cette permanence que je me suis attaché. Marivaux est à cet égard un auteur privilégié, puisqu'il se présente tour à tour comme dramaturge, comme romancier, comme essayiste, et partout également remarquable, également lui-même. Il était dès lors tentant de suivre une de ses constantes, la composition en double registre, dans des œuvres soumises à des techniques en apparence aussi différentes que le roman et le théâtre.

Proust avait sa place toute marquée dans cette série. Personne n'a davantage insisté sur l'importance de la construction et la rigueur de composition de son grand roman. Je l'ai pris au mot.

Enfin, le chapitre consacré au roman par lettres ne prend plus pour point de mire une œuvre ou un auteur, mais une forme collective, un instrument littéraire à la vie duquel collaborent un grand nombre d'écrivains du XVIIe et surtout du XVIIIe siècle ; ce sont les écrivains bien entendu qui le créent et le développent, mais en même temps il s'impose à eux en les orientant, en leur proposant un certain éventail de ressources entre lesquelles ils font leur choix. Je devais analyser cette morphologie générale et ses métamorphoses ; mais je ne pouvais m'en tenir là, c'était se contenter d'un demi anonymat. En littérature, ce sont les personnalités créatrices qui comptent, plus que les genres et les styles collectifs, même s'il convient parfois de commencer par ceux-ci. Aussi ai-je terminé ce chapitre en étudiant, sous le seul aspect de l'emploi de cette forme, du modelage de cet instrument, trois des grands romans épistolaires qui ont survécu : la *Nouvelle Héloïse*, les *Liaisons dangereuses*, les *Mémoires de deux jeunes mariées*.

POLYEUCTE
ou
LA BOUCLE ET LA VRILLE

Contre une tenace prévention qui ne veut voir dans le théâtre de Corneille que dédain ou refus de la passion au nom de quelque devoir abstrait, la critique et l'histoire littéraires récentes ont fortement réagi [1] : ce théâtre est celui de la passion folle, de l'enthousiasme héroïque ; il est fait pour déchaîner chez le spectateur une vague de transport et d'admiration. C'est ainsi que les contemporains de Corneille l'ont compris et vécu.

Mon simple propos ici est de montrer, sur l'exemple d'une seule pièce, comment chez Corneille cette passion, cette ardeur de dépassement invente sa structure dramatique : quelle est la forme cornélienne d'un théâtre de l'exaltation.

Si l'accent est mis d'abord sur des schèmes qui peuvent paraître excessivement géométriques, c'est que Corneille, plus que tout autre, a pratiqué les symétries, mais on verra aussi que cette géométrie n'est pas cultivée pour elle-même, qu'elle est dans les grandes pièces un moyen subordonné à des fins passionnelles.

*
* *

(1) Je pense en particulier aux travaux d'O. Nadal, de P. Bénichou, de G. Couton, d'A. Adam.

Il faut en prendre son parti, l'acteur entre dans la composition de l'œuvre théâtrale. Le théâtre, c'est quelqu'un devant nous, près de nous, autour de nous ; c'est un jeu de présences, d'apparitions, de fuites, de rencontres. Le langage dont se sert le dramaturge, c'est cette matière fluide et incertaine ; il compose avec des ombres, mais ces ombres, son rôle est de les organiser et de les fixer. Et l'auteur, ce grand absent de la scène, prend finalement sa revanche : tout ce jeu n'a de sens que par lui, rien ne se passe qui ne renvoie à lui et à sa vision des êtres et des forces en contact. Mais il n'est dramaturge que s'il connaît que son moyen propre d'expression, c'est le dosage des présences et des absences sur la scène.

L'examen sur ce point de *Polyeucte,* que son créateur plaçait au premier rang de ses pièces, permettra de voir à l'œuvre Corneille dramaturge, ou pour dire mieux : de saisir Corneille visionnaire dans Corneille dramaturge.

***

Commençons par prendre les choses d'un peu plus loin. Dans la *Galerie du Palais,* Corneille mettait en présence deux jeunes gens qui s'aiment, ou croient s'aimer. La pièce s'ouvre sur leur accord, mais cet accord va se rompre, ou semble se rompre : Célidée est inconstante, elle s'éloigne, mais bientôt, par une nouvelle oscillation de son « esprit flottant », elle se lasse de son inconstance. Il se produit alors un croisement, que le dramaturge place exactement au centre : acte III, scènes 4 et 5, où Célidée revenue à son amant trouve celui-ci à son tour inconstant, ou plutôt feignant de l'être. Au moment de se rejoindre, ils s'écartent donc à nouveau, mais ils se rejoindront au dénouement. On se poursuit en se fuyant, comme dans la pastorale. Le schéma de la pièce serait donc celui-ci : accord initial, éloignement, rapprochement médian mais manqué, second écart symétrique au premier, jonction finale. Le point d'arrivée est un retour au point de départ, après un circuit en forme de boucle croisée.

Entre la *Galerie du Palais* et *Polyeucte,* plusieurs années se passent. Corneille se cherche et se trouve. Je ne suivrai pas ici le détail de son itinéraire, où le *Cid* et *Cinna* le montrent inventant sa structure propre. Je me borne à une observation concernant le *Cid.* La pièce s'ouvre sur l'union des deux amants, que rompt un drame brutal ; apparemment séparés, ils ne se rencontrent qu'au milieu du parcours : c'est la scène III, 4, scène vraiment centrale, scène attendue dont Corneille nous dit dans son *Examen* qu'il s'élevait à ce moment « un certain frémissement dans l'assemblée, qui marquait une curiosité merveilleuse ». A cet instant de jonction, de précaire union, succède un nouvel éloignement ; les deux protagonistes ne se retrouveront plus sur la scène ensemble avant le Ve acte, où se scellera leur union définitive.

On voit le progrès dans le sens cornélien depuis la *Galerie :* le mouvement en boucle avec croisement médian est maintenu, mais il se conjugue avec un nouveau mouvement qui lui donne un sens et une tension croissante. A chaque pas du circuit, les amants se développent et grandissent, non seulement chacun pour soi, mais l'un par l'autre et pour l'autre, selon une loi très cornélienne de solidarité progressivement découverte; leur union se cimente et s'approfondit par les ruptures mêmes qui devraient la briser. Ici, les phases d'éloignement ne sont plus des phases de séparation et d'inconstance, mais des épreuves de fidélité. Aussi le point d'arrivée, s'il ramène en apparence à la jonction initiale, n'est-il nullement un retour au point de départ; la situation s'est modifiée, car on a avancé et on s'est élevé. L'essentiel est là : le mouvement cornélien est un mouvement de violente élévation, d'aspiration vers le plus haut; conjugué avec le parcours croisé à deux boucles, il dessine maintenant une spirale ascendante, une montée en vrille. Cette combinaison formelle va recevoir toute sa richesse de signification dans *Polyeucte.*

***

Le premier acte de *Polyeucte* est rigoureusement construit en deux blocs égaux qui se font pendant : le plateau appartient d'abord à Polyeucte, seul avec son ami et confident, ensuite à Pauline seule avec sa confidente. Le héros se montre d'emblée divisé entre deux passions antagonistes, son amour pour Pauline qui l'enchaîne sur place et son amour pour Dieu dont la grâce l'entraîne au baptême. Aussitôt que Pauline paraît, il s'échappe; elle s'efforce de le retenir, mais en vain, Polyeucte la fuit, le contact ne s'établit pas, le bref dialogue de la scène 2 se rompt avant de se nouer. Ce que Polyeucte fuit, c'est son cœur « possédé » par sa jeune épouse; en un acte violent que manifeste aux yeux des spectateurs son départ hâtif de scène, il s'arrache à Pauline, aux « soupirs d'une amante », il s'évade en courant de l'univers sensible où l'on est captif de l'amour.

De son côté, c'est la même situation que décrit Pauline, dans la seconde partie de cet acte premier, lorsque, revivant, devant sa confidente et pour le public, son passé récent, elle raconte comment elle a renoncé à son amour pour Sévère. Tournée vers une nouvelle passion, elle a, elle aussi, échappé au sensible et surmonté un « cœur » qui n'a pas cessé de soupirer; encore tremblante, mais à demi victorieuse, elle a, elle aussi, un geste de fuite devant Sévère à l'annonce de son imminente arrivée.

Ainsi, Polyeucte et Pauline se partagent également le premier acte, pour dessiner tour à tour devant nous deux courbes analogues, qui les montrent l'un et l'autre occupés à fuir l'objet de leur « sentiment ». Il est vrai que la même conduite qui rapproche Pauline de Polyeucte éloigne Polyeucte de Pauline. La divergence n'est qu'apparente : on constate souvent chez Corneille que ce qui d'abord sépare le couple héroïque est précisément ce qui le réunira par la suite, mais sur un palier supérieur.

Sautons provisoirement par-dessus les étapes intermédiaires pour ne considérer que le sommet du parcours. Le cinquième acte, rapproché du premier, révèle une surprenante analogie de structure: ici également, une première partie dominée par la présence de Polyeucte, la seconde étant réservée à Pauline; et à la charnière (scène 3), la même rencontre rapide entre les deux protagonistes, le même mouvement de fuite, ou plutôt d'envol, le coup d'aile de Polyeucte s'arrachant à la tendresse de Pauline. Ici, encore, Pauline tente de le retenir et ne peut l'empêcher de se jeter dans une démarche invisible et décisive, naguère le baptême, maintenant le martyre. Mais il y a entre les deux scènes d'envol cette différence essentielle qui dénonce tout le chemin parcouru : à l'acte premier, Pauline demeurait en scène et laissait le héros s'élancer seul vers un Dieu dont elle ignorait tout; en ce dernier acte, elle s'élance à sa suite : « Je te suivrai partout... », et revient convertie, c'est-à-dire unie à Polyeucte :

> « Un cœur à l'autre uni jamais ne se retire,
> Et pour l'en séparer il faut qu'on le déchire. »

Elle a enfin rejoint celui qui ne cessait de l'entraîner en la quittant toujours.

Une variante dans un invariant, c'est un moyen de rendre manifeste un dynamisme. La pièce décrit en effet un parcours et enregistre une métamorphose. Quand ils ne se livrent pas à un jeu de volte-face et de carrousel (*Place royale* ou *Tite et Bérénice*), les personnages cornéliens sortent du drame profondément différents de ce qu'ils étaient en y entrant. Faiblement déterminés par un passé si léger qu'il ne semble pas peser sur eux [2] — en quoi ils sont très peu raciniens —, ils ont leur destin à faire en cours de pièce. Ils le font en se transformant, et cette transformation constitue le sujet de *Cinna* ou de *Polyeucte*. Cette modification, conformément à la poétique cornélienne de la surprise, du « suspens » [3], doit être imprévisible. Attente, étonnement, émerveillement, voilà les effets que ces drames

---

(2) Cf. G. Poulet, *Essais sur le temps humain*, p. 96-97.

(3) Cf. G. May, *Tragédie cornélienne, tragédie racinienne. Etude sur les sources de l'intérêt dramatique*, University of Illinois Press, 1948.

veulent produire. Le changement imprévisible étonne mais ne scandalise pas de la part de personnages exempts de passé impérieux, donc aptes à se construire en toute liberté. Imprévisible ne veut pas dire absurde. Dès qu'on entre dans la logique, dans la dynamique propres à Corneille, on voit le sens et la cohérence de ces métamorphoses. C'est ici que *Polyeucte* se montre exemplaire, dès que l'on examine ce qui s'est passé entre l'acte premier et l'acte cinquième, seuls considérés jusqu'ici.

En ce qui concerne les rapports de forces engagées dans l'action, les biens convoités par Polyeucte au début de l'itinéraire se trouvent être à la fois Dieu et Pauline, celle-ci remplissant en même temps la fonction d'obstacle entre Polyeucte et Dieu. Semblablement, il y a pour Pauline deux biens désirés, Polyeucte et Sévère; lequel joue le rôle d'obstacle ?[4] S'il s'agissait d'un drame bourgeois ou d'une comédie à situation « piquante », comme dit Voltaire, il faudrait répondre : l'obstacle, c'est Polyeucte. Mais nous sommes chez Corneille, c'est à Sévère que revient la fonction d'obstacle; cet obstacle sera progressivement éliminé. Au départ, pour Polyeucte aussi bien que pour Pauline, il y a deux amours (mais non pas de même nature, comme l'a bien montré O. Nadal). A l'arrivée, il n'y en aura plus qu'un : Pauline aura surmonté son « inclination » pour Sévère en lui substituant sa passion pour Polyeucte; Polyeucte aura uni en un seul amour sa passion pour Dieu et sa passion pour Pauline.

Mais, dans la pièce rigoureusement construite du XVIIe siècle, dont *Polyeucte* est la première réussite impeccable[5], tout se tient, le moindre déplacement sur un point se répercute sur toute la chaîne. Chaque pas de Polyeucte vers Dieu entraîne un pas de Pauline vers Polyeucte, qui s'empare de l'âme de sa femme dans la

---

(4) Si l'on admet pour un instant la terminologie d'E. Souriau, *Les deux cent mille situations dramatiques*. Paris, 1950.

(5) *Cinna* pèche encore à cet égard. Voir sur ce point les Examens de Corneille consacrés à ces deux pièces.

mesure même où il semble lui préférer Dieu. C'est en raison de cette préférence, de ce choix héroïque, qu'il l'entraîne, l'attire à soi, se fait aimer; nulle trace de jalousie, de sentiments troubles; tout simplement, Polyeucte, s'élevant au-dessus de Pauline, l'aspire dans son sillage. Héros glorieux, il produit un appel d'air qui soulève et projette dans l'altitude tout ce qui l'entoure, comme le faisait Auguste au dernier acte de *Cinna*. Ces personnages cornéliens ont la vocation de s'élever en se dépassant, tendus vers l'image grandiose qu'ils offrent d'eux-mêmes. C'est cet effort vers le difficile et l'exceptionnel qu'ils appellent « vertu » ou « gloire » et qui les rend dignes d'amour. Passant de Sévère à Polyeucte, Pauline passe d'un amour d' « inclination » à un amour d'altitude, c'est-à-dire à un degré supérieur de passion. Ce qu'elle rejette en cours de pièce, c'est le « cœur », domaine des sentiments troubles, des « pleurs » et des « lâches soupirs ». Parallèlement, Polyeucte lui aussi dépasse, non sans rudesse, les valeurs sensibles : son premier amour pour Pauline, cet amour qui est bien loin de s'éteindre, puisqu'il le fait trembler chaque fois que Pauline s'approche.

Ainsi, c'est le même mouvement qui les arrache l'un et l'autre, conjointement, aux zones obscures de la sensibilité. Et c'est pourquoi, malgré les apparences contraires, ils consonnent et ne peuvent que se rejoindre, par-dessus la tête de Sévère qui, simultanément, s'efface. Cette disparition graduelle de Sévère est rendue manifeste par son absence au cinquième acte : il n'y paraît que dans la scène finale, et pour des raisons qui tiennent surtout à la dramaturgie établie par Corneille et ses contemporains [6].

L'œuvre dessine donc un triple mouvement solidaire qui conduit au renversement des positions réciproques de chaque protagoniste. Pauline et Sévère, d'abord très proches, cheminent sur deux voies divergentes; quand ils sortent de la pièce, ils ont rompu tout contact. A

---

(6) V. à ce sujet l'indispensable ouvrage de J. Schérer : *La dramaturgie classique en France*, Paris, 1950.

l'inverse, ceux qui se trouvaient initialement éloignés, Dieu, Polyeucte, Pauline, finissent par se rejoindre et ne forment à la fin du trajet qu'un point unique et un couple confondu.

Les couples cornéliens se rejoignent en se fuyant. Cette démarche était celle de Célidée et de Lisandre, du Cid et de Chimène, d'Auguste et d'Emilie avant d'être, bien plus encore, celle de Polyeucte et de Pauline. Est-ce pour cette raison que Corneille en use si étrangement dans les rencontres qu'il ménage sur la scène à ses deux protagonistes ?

Ces rencontres sont rares et, à l'exception d'une seule, ce sont de fausses rencontres. J'ai parlé des deux scènes médianes et symétriques des premier et cinquième actes, qui sont moins des rencontres que des croisements, puisque Polyeucte chaque fois fuit avant que s'institue un contact réel. Il en est de même en II, 4 : serrée entre la grande scène Pauline-Sévère et le départ flamboyant de Polyeucte pour le sacrifice et le bris des idoles, la conversation n'a pas le temps d'en venir à l'essentiel, elle est aussitôt interrompue par un envoyé du gouverneur. Corneille n'accorde aux deux époux qu'un seul tête-à-tête véritable, au quatrième acte; mais là encore, le contact ne s'établit qu'obliquement, le dialogue se développe en porte à faux. Il faut s'y faire : chez Corneille, on ne dit pas ce qu'on pense ni ce qu'on sent, on ne l'exprime que par voie détournée; on s'avance masqué. Dans cette scène, Polyeucte refuse de suivre Pauline sur le terrain où elle cherche obstinément à le ramener : son cœur, leur amour. Seuls un « hélas » et quelques larmes font affleurer le déchirement intérieur; Polyeucte se reprend aussitôt et, conformément à sa démarche constante, se détache violemment de son expérience sensible et remonte au niveau supérieur où il s'efforce de fixer sa vraie relation avec sa femme; c'est la « prière d'intercession » et le « C'est peu d'aller au ciel, je vous y veux conduire » qui annoncent le dénouement. Pauline résiste encore, ne conçoit leur union que sur le plan de l'amour sensible, mais on voit bien que, par delà l'opposition proclamée, l'écart entre eux s'est réduit. La démonstration en est donnée de façon péremptoire aussitôt après, dans la scène qui remet Pauline en présence de Sévère. Qu'on rapproche cette entrevue rapide de leur long entretien de l'acte II et on sentira tout le chemin parcouru; c'est le chemin inverse de celui qu'ont suivi Polyeucte et Pauline; plus d'émotion trouble chez la jeune femme, l'ancien amour est vaincu, Sévère a perdu tout ce qu'entre temps Polyeucte a gagné. A cet égard, la disposition même des deux scènes juxtaposées par le dramaturge au centre de l'acte IV est significative : d'abord l'entrevue avec Polyeucte, voulue par Pauline, et terminée par la fuite de l'époux; ensuite l'entrevue avec Sévère imposée à Pauline, et terminée par son propre départ sur un congé définitif signifié à l'ancien amant.

Cet acte IV, où se rassemblent les trois protagonistes, où se succèdent les scènes violentes, les situations surprenantes, s'ouvre par les *Stances* de Polyeucte. Ces Stances occupent dans le drame une position centrale et réfléchissent, en le concentrant, tout l'itinéraire du héros, tout le mouvement ascensionnel de la pièce. Elles dessinent le même tracé vertical, cette montée du « monde » au ciel, des « flatteuses voluptés » de la première strophe aux « saintes douceurs du ciel » de la stance finale; elles conduisent Polyeucte, elles aussi, de l' « instabilité » à la permanence et, sur le plan psychologique, de la crainte d'avoir à affronter Pauline :

> « O présence, ô combat que surtout j'appréhende ! »

à la certitude de vaincre et Pauline et son propre cœur :

> « Je la vois ; mais mon cœur, d'un saint zèle enflammé,
> N'en goûte plus l'appas dont il était charmé... »

Un parcours et une métamorphose, disions-nous après analyse des premier et cinquième actes, de leurs symétries et variantes. Il faut y adjoindre maintenant un autre caractère essentiel au drame cornélien : le mouvement qu'il décrit est un mouvement ascendant vers un centre situé à l'infini. On peut encore en préciser la nature. Un trajet à deux boucles affecté d'un mouvement vers le haut, c'est une montée en vrille; deux lignes ascendantes s'écartent, se croisent, s'éloignent et se rejoignent pour se prolonger en un tracé commun au delà de la pièce. Pauline et Polyeucte se rencontrent et se séparent au premier acte; ils se rencontrent à nouveau, plus étroitement et sur un palier supérieur, au quatrième, mais pour s'éloigner à nouveau; ils gravissent un échelon de plus et se retrouvent une fois encore au cinquième acte, phase culminante de l'ascension, d'où ils s'élancent pour un dernier bond qui va les unir définitivement, au point suprême de liberté et de triomphe, en Dieu.

LA PRINCESSE DE CLEVES

Ce roman a provoqué au XVIIe siècle un véritable débat où la critique s'engagea avec vivacité, parfois avec intelligence, soulevant certes bien des faux problèmes, mais aussi des questions d'un intérêt toujours actuel. C'est pourquoi j'ai choisi de procéder ici de façon un peu particulière et d'organiser mon essai autour de quelques-unes des observations faites par la critique de 1680 : vraisemblance et histoire, digressions, ordonnance du récit, présence ou absence de l'auteur dans sa narration. Ce ne seront souvent que des tremplins, le développement moderne de la réflexion sur l'art du roman permettant de pousser l'analyse un peu plus loin, mais ce seront d'utiles points de départ.

Les contemporains de Mme de Lafayette ont assisté à une transformation des techniques narratives; ils furent sensibles à la rupture d'une tradition et d'un art qu'avaient cultivés des écrivains de grande réputation, d'Honoré d'Urfé à Mlle de Scudéry. Sous deux aspects essentiels : nouveau rapport avec la réalité et renouvellement des formes romanesques, ils ont le sentiment d'une mutation. Il leur apparaît qu'on ne fait plus de « roman », par quoi ils entendent les grandes fictions antérieures, mais quelque chose de très différent, qu'ils désignent du nom de « nouvelle » ou d' « histoire ». Dans une page connue, Segrais oppose dès 1656 la

« nouvelle » au « roman » : le « roman » invente, il présente les choses « comme notre imagination se les figure », tandis que « la nouvelle doit un peu davantage tenir de l'histoire » et de la réalité ordinaire [1]. De même, son amie et peut-être disciple Mme de Lafayette, dans l'une de ses rares confidences sur la *Princesse de Clèves,* prétend que ce « n'est pas un roman », mais des « mémoires », c'est-à-dire « une parfaite imitation de la vie de cour et de la manière dont on y vit » [2]. A ces vues s'étaient déjà conformés les brefs récits de Segrais, de Saint-Réal, de Mme de Villedieu. Ce nouveau roman semble donc se concevoir d'abord comme une relation historique ou pseudo-historique d'événements situés dans un temps peu éloigné. Contre l'arbitraire et l'imaginaire des « aventures fabuleuses » où le romancier est seul maître de son invention, on prétend recourir à l'histoire, qui est censée se substituer au romancier et inventer à sa place. L'auteur n'est cependant pas un simple historien, on lui reconnaît une certaine autonomie : l'histoire fournit un cadre, le romancier le fait vivre en le remplissant de tout ce que l'historien ne retient pas dans ses filets : conversations privées, mouvements intimes, ressorts cachés des passions. C'est ici que l'invention va prendre sa revanche. Un texte de Mme de Villedieu montre bien comment cette prétendue fidélité à l'histoire peut conduire à un romanesque du cœur : « J'avoue que j'ai ajouté quelques ornemens à la simplicité de l'histoire... Quand l'histoire d'Espagne m'apprend qu'une comtesse souveraine de Castille suivit en France un pèlerin de saint Jacques, je présuppose que cette grande résolution ne se prend pas dans un moment, il faut se parler, il faut se voir pour s'aimer jusques à cet excès. J'augmente donc à l'Histoire quelques entrevues secrètes, et quelques discours amoureux. Si ce ne sont ceux qu'ils ont prononcés, ce sont ceux

(1) Segrais, *Nouvelles françoises,* 1656, éd. Paris, 1722, t. I, p. 155-6.
(2) Lettre à Lescheraine, 13 avril (1678), *Correspondance de Mme de Lafayette,* Paris, 1942, t. II, p. 63.

qu'ils auraient dû prononcer... » [3], car il reste entendu que l'homme ne change pas dans sa manière d'aimer et de le dire. Et voilà les portes ouvertes à l'imagination, à l'analyse du « cœur humain ». On semblait nous promettre un réalisme, mais ce réalisme s'insère aussitôt dans une esthétique idéaliste qui le remet en question; rien là de très surprenant au XVIIe siècle.

Lorsque le sévère et rigoureux Saint-Réal applique ces principes à son *Don Carlos,* encore qu'il se tienne plus près que tout autre des annales puisque ses protagonistes sont des figures historiques de premier plan, il s'occupe surtout à reconstituer les mouvements d'une passion et l'enchaînement secret des causes et des effets; de sorte que, si les personnages sont attestés et ont réellement vécu la situation relatée, l'auteur se comporte cependant davantage en romancier qu'en historien [4].

Ce qui est vrai de Saint-Réal l'est bien plus encore de Mme de Lafayette. Celle-ci invente ses principaux héros de toutes pièces et ne recourt à l'histoire que subsidiairement et pour servir un dessein d'art. Il reste que son roman appartient étroitement à ce nouveau type de récit « historique ». C'est donc par l'analyse des fonctions du cadre historique qu'il convient d'aborder la composition de la *Princesse de Clèves.*

---

(3) Mme DE VILLEDIEU, *Annales galantes,* Paris, 1670, Avant-propos. Bayle reprochera plus tard à Mme de Villedieu d'avoir mis à la mode une Histoire romancée où l'on prête « ses inventions et ses intrigues galantes aux plus grands hommes des derniers siècles ». Cité par A. PIZZORUSSO, *La concezione dell' arte narrativa nella seconda metà del seicento francese,* in « Studi mediolatini e volgari », vol. III, Bologne, 1955, p. 124. Sur les théories du roman au XVIIe s., on aura grand profit à lire cette étude, aussi pénétrante qu'informée.

(4) Certaines critiques faites à la *Princesse de Clèves* se comprennent mieux à la lumière de ce précédent : on lui a reproché de mettre en œuvre des personnages qui n'étaient pas attestés historiquement (Mme de Clèves) ou, quand ils l'étaient (Nemours), de les déformer au point d'en faire des caractères « chimériques », non moins imaginaires que ceux de n'importe quel roman. Mais si Mme de Lafayette voulait faire autre chose qu'un « roman », autre chose que *Zaïde* ou *Clélie,* elle n'a pas non plus cherché à refaire *Don Carlos.* Ce n'est pas la politique ni les lois de l'histoire qui l'intéressent au premier chef.

*
* *

I. — Le contrepoint et l'alternance.

La fiction y gagne d'abord d'être garantie par la réalité historiquement attestée qui s'y amalgame, mais cette vertu est commune à tous les récits de ce type, et unanimement reconnue par les critiques. Ce qui est particulier à la *Princesse de Clèves,* c'est que le cadre historique y remplit des fonctions proprement romanesques. La réussite de Mme de Lafayette tient à l'art avec lequel elle organise les rapports de l'histoire et de la fiction, du décor et du drame. Les aventures royales qui se dessinent à l'arrière-plan du récit [5] l'enrichissent d'un commentaire voilé et d'arabesques intermittentes qui doublent le développement principal : passion jalouse du roi pour la duchesse de Valentinois, passion secrète de la reine pour le vidame, où se perçoivent en écho les thèmes dominants du secret et de la jalousie inséparables de la passion.

Mais ce n'est pas tout : Mme de Lafayette recourt au fond historique, à la société de cour en vue de composer un contrepoint. Pour l'essentiel, son récit déroule une progression de sentiments cachés; la passion de son héroïne couve à l'intérieur d'une conscience close. En coupant cette trame continue de brefs appels aux personnages de l'arrière-plan : roi, reine, dauphine, clan des Guise, etc..., la narratrice modifie par moments la perspective et fait passer son lecteur de l'intérieur à l'extérieur, du cœur au comportement. Ce faisant, elle modifie notre champ visuel et le sentiment que nous prenons de la réalité : c'est l'envers, le secret, l'existence invisible des passions, leurs mouvements infimes qui nous semblent seuls vrais et seuls dignes d'attention. Comme cette vie de cour se réduit à des conversations feutrées chez la dauphine, à des intrigues et à des fêtes,

---

(5) Sur les allusions à la cour de Louis XIV que les contemporains n'ont pas manqué d'y voir, cf. A. Adam, Introduction aux *Romanciers du XVIIe siècle,* Pléiade, 1958, p. 54.

le monde n'est plus à nos yeux qu'un cérémonial, magnifique et fallacieux. « Si vous jugez sur les apparences en ce lieu-ci..., vous serez souvent trompée : ce qui paraît n'est presque jamais la vérité. »[6] Aussi le retour aux événements du cœur est-il ensuite ressenti par le lecteur comme un retour au réel. Une façade ayant été dressée puis écartée, le drame qui se joue derrière elle gagne en intensité et impose sa vérité, sa gravité avec une force accrue. Bien loin que ce soit l'histoire qui garantisse la fiction, comme le voulait la théorie, c'est le monde imaginaire qui s'impose avec la fascination du réel, rejetant la réalité historique au rôle de décor futile et de fastes dérisoires.

Dans le tissage serré de son roman, Mme de Lafayette va donc faire alterner l'endroit et l'envers, en d'autres termes : les situations où la princesse paraît en société, sous le regard d'autrui, et les moments de solitude et de réflexion où elle peut se regarder et se reconnaître.

Ce passage du dehors au dedans, qui tourne toujours davantage au profit du dedans à mesure qu'on avance, jusqu'à la suppression complète du fond historique dans la dernière partie, représente chaque fois un passage du factice au vrai, de l'illusion au réveil, des conduites aveugles à la clairvoyance consternée d'un être qui se découvre envahi par la passion. Quand Madame de Clèves est dans le monde, ses gestes s'accomplissent à son insu et dans une demi-conscience; mais dès qu'elle revient à la solitude, elle ouvre les yeux et elle se voit telle qu'elle est : « Mme de Clèves demeura seule..., elle revint comme d'un songe. » (p. 329) Le sentiment qui la domine alors, c'est la stupeur ou l'épouvante devant ce qu'elle a fait sans le savoir, devant ce qui s'est passé en elle sans qu'elle le connût : « elle regarda *avec étonnement* la prodigieuse différence de l'état où elle était le soir d'avec celui où elle se trouvait alors...; *elle ne se reconnaissait plus elle-même.* » (ib.) Il en va de même sitôt l'aveu prononcé : « Lorsque ce prince

(6) *Princesse de Clèves*, p. 265. Toutes mes citations renvoient à l'éd. Magne des *Romans et Nouvelles* (Garnier).

fut parti, que Mme de Clèves demeura *seule,* qu'elle *regarda ce qu'elle venait de faire,* elle en fut si *épouvantée* qu'à peine put-elle s'imaginer que ce fût une vérité. » (p. 336) Ainsi, après nous avoir fait vivre un instant la vie externe de l'héroïne, on nous ramène brusquement dans sa pensée, nous en suivons le travail de reconnaissance, nous y voyons surgir à la conscience les motifs et les significations d'actes accomplis devant les autres, c'est-à-dire dans la cécité. Aux apparences succède alors la réalité, aux conduites perturbatrices la réflexion rétrospective.

Mais il est toujours trop tard, car l'être en état de passion ne se connaît ni ne se conduit, il agit par impulsions et malgré soi, et quand il revit dans son esprit tout ce qu'il a fait, tout ce qu'il a dit ou n'aurait pas dû dire, c'est pour constater avec effroi que la passion a progressé comme une gangrène et que, chose pire encore, tous ces gestes spontanés furent autant d'aveux involontaires. Cette vie au dehors a beau ne se composer que de propos couverts et d'actes masqués, chacun d'eux vous livre et vous découvre, tout est signe transparent aux yeux intéressés de l'amant ou du mari amoureux qui ont sur le cœur de l'héroïne la clairvoyance qu'elle n'a pas encore et qui lisent avant elle le sens caché qu'elle va découvrir en se retrouvant seule. Ce n'est qu'avec un retard fatal, un retard qui ne se rattrape jamais, qu'elle porte sur elle-même le regard d'autrui. De là le système d'alternance et de décalage, les abandons puis les reprises du soliloque réflexif qui gouvernent le récit. La passion est une puissance trompeuse et obscurcissante dont on a tout à craindre; le roman, dénouement compris, est construit sur cette vérité amère pour des esprits avides de clarté.

De ces observations suggérées par une composition en contrepoint, il ressort que la connaissance interne que l'on a de soi-même est une connaissance incertaine et confuse. Contrairement à ce que dira Benjamin Constant : « J'ai souvent pensé que l'on ne connaissait jamais que soi dans le monde; on ne pénètre au fond du cœur de personne... » [7], Mme de Lafayette proclame à travers ses romans que l'on ne pénètre pas au fond de son propre cœur, et que le seul regard perspicace est le regard d'autrui. Si Nemours et Clèves connaissent l'héroïne avant elle et mieux qu'elle, c'est qu'ils n'ont pas les raisons qui sont les siennes de s'aveugler et de se donner le change; quand il s'agit d'eux-mêmes et de leurs propres passions, ils ne sont pas moins aveugles et impuissants, M. de Clèves en fait la preuve. Le roman est une parfaite démonstration, par sa structure même, que la connaissance objective est avantagée aux dépens de la connaissance interne.

Sans doute l'idée n'est-elle pas nouvelle que l'homme n'a de soi-même qu'une conscience obscure. Depuis Montaigne, nombreux sont ceux au XVIIe siècle qui l'affirment avec force : Pascal, Malebranche , Nicole, Racine, La Rochefoucauld... On ne se connaît pas d'une connaisance claire, nul ne peut atteindre son propre fond, Dieu seul connaît l'homme tel qu'il est en lui-même; le regard objectif de Dieu est l'unique regard infailliblement clairvoyant. Transportant cette théologie dans le roman, Mme de Lafayette privilégie la connaissance externe et présente une héroïne traquée par des regards trop perspicaces, courant toujours après une impossible connaissance de soi, parlant et agissant dans un demi-somnambulisme coupé de réveils impuissants. Telle est la signification que révèle dans la composition l'alternance des scènes de société et des instants de solitude.

Ne nous pressons donc pas trop de voir dans ce roman le joyau de la conscience claire et de la volonté lucide. C'est toujours « malgré elle », « sans qu'elle le sût », « sans en avoir presque eu le dessein » que Mme de Clèves commet les actes qui l'engagent. Agir c'est se trahir. Puis vient le regard sur soi, dans la soli-

---

(7) Lettre du 1er février 1796. De cette opposition centrale dans l'expérience de la connaissance de soi dérive peut-être la différence des modes de présentation : récit à la 3e personne chez Mme de Lafayette, récit autobiographique à la 1re personne chez Constant.

tude retrouvée : on ne se reconnaît pas. Ce que la Princesse apprend alors à connaître, c'est la présence en elle d'une puissance sourde et dangereuse, qui échappe d'abord à sa conscience et qui, une fois reconnue, l'empêche de vivre. Le parcours de l'héroïne va de l'ignorance initiale à la connaissance d'un secret redoutable : ce « trouble » que la passion engendre en elle. Elle va du repos de l'innocence au « repos » désespéré dans lequel elle se jette à la fin pour échapper à ce monstre qu'elle a découvert en elle et avec qui il n'y a pas d'arrangement possible. Il ne lui reste plus qu'à prendre la fuite devant son cœur. C'est pour cela, et aussi parce que cette fin maintient jusqu'au bout la couleur sombre et lourde dans laquelle baigne tout le récit, que Mme de Clèves ne recommencera pas à vivre, n'épousera pas M. de Nemours, tout autant que pour les raisons qu'elle lui donne. Quand la passion s'est emparée d'un être, il ne peut plus vivre. Cette expérience s'accorde avec une exigence esthétique pour rendre inconcevable une fin optimiste. Loin de conduire vers le bien, comme dans la tradition romanesque antérieure, ou d'enrichir la vitalité de l'être comme chez les Romantiques, l'amour est pour Mme de Lafayette un maléfice et une perte de substance qui contraint les malheureux atteints de ce mal à se détruire, à se retirer de la vie. Après Bélasire et le jaloux Alphonse de *Zaïde*, M. de Clèves montre le chemin. Destin exemplaire d'une victime de la passion, il annonce le sort de l'héroïne; elle aussi cesse d'exister. Le couple s'unit dans cette commune manière de renoncer à vivre. C'est pourquoi les dernières pages n'offrent pas le dénouement qu'attendent Nemours et le lecteur, mais la brève histoire d'une extinction.

Les contemporains ont immédiatement établi un rapprochement entre la *Princesse de Clèves* et les *Désordres de l'amour* de Madame de Villedieu parus quelques années auparavant, en raison surtout d'un aveu de l'héroïne à son mari [8]. Mais, outre d'importantes différences dans les circonstances et les suites de l'aveu comme dans la conduite d'un récit qui n'offre ni découverte progressive de la passion ni intrusion dans la pensée des personnages, le dénouement des *Désordres de l'amour* fait éclater par comparaison l'art de Mme de Lafayette ; chez sa prétendue rivale, les amants devenus libres se marient et bientôt se désunissent, le nouvel époux cesse d'aimer puis abandonne sa femme. C'est donc exactement l'issue que redoute Mme de Clèves lors de son ultime entretien avec Nemours. On sent mieux encore à ce rapprochement tout ce qu'on perdrait à un dénouement selon le vœu de Nemours : la perspective entière de l'œuvre serait modifiée en même temps que serait faussée l'expérience de la passion qui en fait le centre. Valincour ne veut voir dans le refus et la retraite de l'héroïne que le délire d'une précieuse; nous y reconnaissons une science très sûre de l'unité de ton et de l'accord d'une forme avec une signification.

***

II. — L'impossible contact.

Louange ou blâme, on constate qu'une large part de la critique du XVIIe siècle porta sur les rapports de l'œuvre et de la réalité. Travers qui n'est pas propre au XVIIe siècle. Le principal inconvénient de ce douteux critère, c'est qu'il détourne l'attention de l'œuvre et risque de rendre aveugle à ses vertus essentielles de cohérence interne. L'appréciation de la conduite de Nemours dans une scène centrale du livre fournit de cette perversion un bon exemple, qui est un cas témoin. On sait que l'aveu de Mme de Clèves à son mari fut au centre du débat et se trouva généralement condamné,

---

(8) VALINCOUR, *Lettre à Mme la Marquise *** sur le sujet de la Princesse de Clèves*, Paris, 1678, éd. Cazes, Paris, 1925, p. 195 ss.
CHARNES, *Conversations sur la critique de la Princesse de Clèves*, Paris, 1679, p. 231 ss.

même des chauds admirateurs du roman, comme invraisemblable et « extravagant ». S'il arrive que la scène soit approuvée (Fontenelle), c'est alors la présence de Nemours, invisible écouteur, que l'on censure : « cela sent le roman ».

Si l'on s'en tient au seul critère de la vraisemblance, il faut convenir que la coïncidence est un peu suspecte. Mais la vraie question est ailleurs, c'est celle-ci : comment la romancière a-t-elle été amenée à produire, non pas une fois mais deux fois, dans deux scènes capitales et particulièrement étudiées, cette situation dont la faible vraisemblance n'a pas dû lui échapper ? Pour qu'elle passât outre, il fallait de fortes raisons, conscientes ou non, et ce sont ces raisons que le critique doit essayer de mettre au jour. Ces raisons, je les trouve dans la position constante du personnage de Nemours : c'est tout au long du roman qu'il est en posture de spectateur indiscret. Toujours spectateur de Mme de Clèves puisqu'elle lui refuse toute entrevue, et spectateur caché puisqu'elle se soustrait à ce regard qu'elle redoute, toujours « songeant à la voir sans songer à en être vu » (p. 380) ; ces mots du texte donnent la meilleure définition du rôle de Nemours dans le roman. Il n'a d'autre moyen de contempler celle qu'il aime que de lui dérober son portrait ou de louer une chambre chez un marchand de soie d'où l'on a vue sur ses fenêtres à travers des jardins ; quand il la regarde, c'est toujours de loin et à son insu. La destinée de Nemours, c'est d'être partout ce témoin qui voit ce qui se dérobe à ses regards, alors que la destinée de la Princesse semble être de ne pouvoir se soustraire à cette inquisition qu'elle fuit sans cesse et retrouve dans tous les lieux où elle cherche refuge : « elle évitait la présence et les yeux de M. de Nemours » (p. 340) ; mais elle n'échappe pas à sa fatalité.

Cette guerre perpétuelle de regards interdits et de regards dérobés, ce recours à des images de remplacement, à des contacts à distance, ce jeu savant d'un amant qui veut voir et d'une amante qui se cache, voilà qui suffirait à justifier la présence invisible de Nemours le jour de l'aveu et la nuit des rubans. Deux scènes rigoureusement symétriques [9], deux aveux qui se correspondent et se complètent. Après l'aveu à M. de Clèves auquel assiste Nemours en tiers inconnu, la belle nuit solitaire où Nemours invisible surprend de nouveau la Princesse dans le même pavillon et contemple une seconde scène d'aveu, encore plus involontaire que la première, et combien plus grave : l'amante cette fois ne cache plus rien, répandant « sur son visage les sentiments qu'elle avait dans le cœur... On ne peut exprimer ce que sentit M. de Nemours dans ce moment. Voir au milieu de la nuit, dans le plus beau lieu du monde, une personne qu'il adorait, *la voir sans qu'elle sût qu'il la voyait,* et la voir tout occupée de choses qui avaient du rapport à lui et à *la passion qu'elle lui cachait,* c'est ce qui n'a jamais été goûté ni imaginé par nul autre amant » (p. 367).

Cette nuit chaste et brûlante, c'est leur nuit nuptiale. Jamais ils ne seront plus proches, et pourtant on ne saurait être plus séparé : Mme de Clèves s'épanche devant un portrait, M. de Nemours la contemple à travers une fenêtre. S'il s'approchait, tout serait rompu. Chez Mme de Lafayette, la communication ne se fait qu'à distance et par voies indirectes. Tout contact réel est tenu pour impossible.

Souvenons-nous à ce propos que *Zaïde* mettait déjà en scène deux êtres qui s'aiment, mais qui ne peuvent communiquer parce qu'ils ne parlent pas la même langue. Ne sachant s'ils sont aimés, ignorant tout de ce qui occupe le partenaire, ils se trouvent réduits à s'épier, à se surprendre, à interpréter des gestes, des mots privés de sens, des signes incertains; on y utilise aussi le tableau d'un peintre à titre de langage de rechange, mais ce langage reste obscur; il s'y rencontre même une scène où le héros, en posture d'auditeur incognito, recueille une confidence qui est un aveu.

(9) Michel Butor a attiré l'attention sur cette rigueur et sur cette symétrie dans d'excellentes pages de son *Répertoire*. Seule l'interprétation freudienne de la canne me laisse fort réticent.

Consalve offrait déjà le type d'un amant qui assiste de loin à l'existence secrète de son amante. Nous saisissons une constante de l'auteur : la passion sépare ceux qui s'aiment, elle les contraint à la communication indirecte et finalement, dans la *Princesse de Clèves*, à la communication impossible.

*
* *

III. — Les « digressions ».

Un fait de composition a particulièrement retenu l'intérêt des critiques de 1680, ce sont les épisodes qui semblent interrompre le cours de la narration. Comme on va le voir, le problème est important, il est étroitement lié à la transformation des structures générales du nouveau roman.

Il y a quatre récits insérés dans le récit de la *Princesse de Clèves*. Ils sont généralement mal reçus par la critique. Valincour et même Fontenelle n'y veulent voir que « digressions » et « hors-d'œuvre » [10], détournant inutilement l'attention de l'action principale. On s'étonne de cette sévérité; ces mêmes lecteurs en avaient pourtant vu d'autres avec les longs récits intercalés dans les « romans à dix tomes » où les histoires annexes finissaient par cacher le corps central. C'est un point

(10) Valincour, *op. cit.*, p. 98 et 167 : l'histoire de Mme de Tournon est « hors-d'œuvre, et trop longue de la moitié », l'auteur lui devait donner « plus de liaison avec le reste de l'ouvrage ». Charnes répond p. 185 ss. de ses *Conversations ;* il défend assez maladroitement l'histoire de Mme de Tournon en invoquant les épisodes de l'*Enéide*, alors qu'il admet ailleurs, très justement, que le nouveau roman n'obéit plus aux lois du poème épique. Quant à Fontenelle (*Mercure galant*, mai 1678), la mort de Mme de Tournon l'a « extrêmement fâché... Voilà le malheur de ces actions principales qui sont si belles », on voudrait que rien n'en détournât. Conf. également Du Plaisir, *Sentiments...*, p. 90-91.

Les commentateurs du XXe siècle ont souvent blâmé, eux aussi, les épisodes. On n'a pourtant pas eu grand peine à montrer leur lien avec l'action et leur nécessité ; v. à ce sujet les pages excellentes de Jean Fabre, *L'art de l'analyse dans la P. de Clèves*, « Publ. de la Fac. des Lettres de Strasbourg », Mélanges 1945, t. II, p. 261-306.

sur lequel le goût a changé en une génération : Camus et ses contemporains voulaient des incidents pour suspendre l'intérêt et retarder la conclusion; le Scudéry de la Préface d'*Ibrahim* (1641), trouvait « des beautés » dans les « diverses histoires ». Or, dans la *Princesse de Clèves*, les récits satellites sont rares et courts, l'auteur prend grand soin de les nouer solidement, et très visiblement, à l'action principale. Alors pourquoi cette censure de la part des Valincour et Fontenelle ? Pourquoi cette sensibilité si grande à une unité si peu compromise, en comparaison des lâches ordonnances du roman antérieur ? C'est qu'ils ont le sentiment très net d'avoir affaire à un tout autre type de narration, soumis à d'autres critères de jugement, parce qu'obéissant à un autre principe de composition ; dans cette facture nouvelle, il est normal que l'épisode, même très court et bien soudé, paraisse une digression, car il n'est pas de même nature que les récits emboîtés de Scudéry ou de La Calprenède.

Comparons à la *Princesse de Clèves* son aînée *Zaïde*, qui appartient encore au type archaïque de composition, en ce qui regarde le plan, dont la paternité revient à Segrais : « Il est vrai que j'y ai eu quelque part, mais seulement pour la *disposition* du roman, où les règles de l'art sont observées avec grande exactitude »[11]. S'il a *disposé* le roman selon « les règles de l'art », entendons qu'il en a fait le plan sur le modèle du poème héroïque; on sait que tous les théoriciens, dans la première moitié du siècle et même au delà, tiennent le roman pour le frère inférieur en prose de l'épopée [12] ; or, la première

(11) SEGRAIS, *Mémoires-Anecdotes, Œuvres*, éd. 1755, t. II, p. 7.

(12) Ménage est des plus nets : « Il faut avoir bien peu de connaissance pour ne pas voir que le *Cyrus* et la *Clélie* sont dans le genre du poème épique. Le poème épique doit embrasser une certaine quantité d'événements pour *suspendre* le cours de la narration qui, ne comprenant *qu'une partie de la vie du héros* qu'on a choisi, irait trop tôt à sa fin sans cela. On n'y trouverait point sans cet artifice cet agrément que produit l'espèce de spectacle formé à la fin par la réunion de la plupart des *épisodes* au sujet principal du Roman. Mlle de Scudéry a si bien manié sa matière... que rien dans ce genre

règle de l'épopée, c'est qu'elle commence par le milieu ; ainsi font tous les romans en dix tomes et *Zaïde*, pour n'en avoir pas dix, fait comme eux ; les épisodes intercalés sont la conséquence nécessaire de cette disposition : il faut faire connaître au lecteur tout ce qui a précédé l'action introductrice, qui n'est pas chronologiquement initiale, tempête, tremblement de terre, combat entre deux inconnus ; comme Enée raconte la prise de Troie, Oroondate, par son confident, révèle son passé et ses amours ; et dans *Zaïde*, Consalve puis Alfonse disent leur histoire, bien avant qu'on ait celle de Zaïde elle-même. On voit dès lors qu'il y a une différence essentielle entre les épisodes de *Zaïde* ou des grands romans et les récits annexes de la *Princesse de Clèves* : les premiers sont rétrospectifs, ils récupèrent tout le passé d'une narration qui commence près de la fin ; ceux de la *Princesse de Clèves* pouvaient donc paraître inutiles, puisque le passé des protagonistes est connu et que les épisodes n'introduisent que des figurants : Mme de Valentinois, Mme de Tournon, Anne Boulen ; comme les autres « nouvelles » ses contemporaines, la *Princesse de Clèves*, en effet, n'obéit plus aux « règles de l'art », c.-à-d. à la « disposition » épique ; elle commence par le commencement ; la narration suit le fil du temps. On y a vu à l'époque un double progrès : clarté de la narration, et vérité dans le sens naturaliste, puisque le récit, en respectant le cours du temps, imite la réalité ; c'est ce qu'exprime nettement Charnes quand il écrit : « Ce ne sont plus des poèmes ou des romans assujettis à l'unité de temps, de lieu et d'action..., ce sont des copies simples et fidèles de la véritable histoire... Il ne s'agit pas ici d'un poème épique, d'un roman, ni d'une tragédie. Il s'agit d'une histoire suivie... » (p. 135). Un critique trop ignoré le dira mieux encore quelques années plus tard : on a renoncé à « cette fatigante beauté de commencer par la fin ».

---

n'est comparable à ce qu'elle a fait ». Quant aux « petites nouvelles » qu'on a données depuis, elles ne sont qu'une preuve « du mauvais goût de notre temps ». *Menagiana*, t. I, p. 205-206 (de la 3e éd., 1713).

Celui qui s'exprime ainsi se nomme Du Plaisir [13]. Il est, parmi les critiques du « nouveau roman » des années 80, celui qui a la conscience la plus nette des caractères qui le distinguent de l'ancien roman ; il dégage avec sagacité la théorie de l' « histoire » : « Ce qui a fait haïr les anciens romans est ce que l'on doit d'abord éviter dans les romans. Il n'est pas difficile de trouver le sujet de cette aversion : leur longueur prodigieuse, ce mélange de tant d'histoires diverses, leur grand nombre d'acteurs, la trop grande antiquité de leurs sujets, l'embarras de leur construction, leur peu de vray-semblance, l'excès dans leur caractère sont des choses qui paroissent assez d'elles-mesmes. » (p. 89-90)

Si le roman est désormais plus court, ce qui est après tout secondaire, c'est qu'on le centre sur « un seul événement principal, et on ne le charge point de circonstances... » ; ainsi se trouvent exclus les développements adventices, « le mélange d'histoires », où la nouvelle génération ne voit plus — au lieu de la « suspension » auparavant souhaitée — que rupture et dispersion d'intérêt : « Les lecteurs se rebutent, ils sont fâchez de se voir interrompus par le détail des aventures de personnes pour qui ils s'intéressent peu... » (p. 91). A la disparition des récits intercalés, Du Plaisir voit un autre avantage : l'unité de point de vue dans la narration ; celle-ci émane toujours, en ligne directe, de l'auteur lui-même qui ne cède plus sa place à des « récitants » interposés : « On ne récite plus dans le roman. Il n'est plus de confident qui fasse l'histoire de son maître ;

---

(13) Du Plaisir, *Sentiments sur les lettres et sur l'histoire, avec des scrupules sur le style*, Paris, 1683. L'ouvrage, anonyme, est révélé par A. Pizzorusso, *op. cit.*, p. 149-156. La *Princesse de Clèves* n'y est pas nommée ; cependant, la théorie dégagée par Du Plaisir s'y applique parfaitement, comme d'ailleurs au roman attribué à ce même Du Plaisir, *La Duchesse d'Estramène*, Paris, 1683, dont toute la première moitié est remarquable. On reconnaît une allusion à la *Princesse de Clèves* et une réponse à certaines critiques dans ces lignes des *Sentiments*, p. 99 : « loin d'être prévenu contre une histoire où l'on parlerait d'une jeune personne qui refuse d'épouser son amant, parce qu'elle s'imagine l'aimer trop, j'aurais impatience de la lire, et je jugerais par avance que son auteur est d'un génie élevé... ».

l'historien (c.-à-d. l'auteur) se charge de tout, et en quelque endroit où on lise, on n'est plus embarrassé de savoir lequel parle, ou l'historien, ou le confident. » (p. 95). Il s'agit ici d'une exigence de continuité et d'unité en même temps que de clarté. On ne mélange plus les points de vue, le récit cesse de présenter une confusion de troisième et de première personne prenant tour à tour la parole.

On le voit, grâce aux intelligentes observations de Du Plaisir, le débat qui se livre vers 1680 autour des « épisodes » de la *Princesse de Clèves* ne met pas seulement en cause l'unité et la clarté de l'œuvre ; en renonçant à la composition « à rebours » et aux récits enchâssés qu'elle postule, la «nouvelle » adoptait une technique du récit suivi et de la progression chronologique qui avait le double avantage de s'ajuster à sa vocation profonde : serrer de près le développement dans le temps d'une passion, tout en se séparant du roman antérieur et du parrainage encombrant de l'épopée ; elle y gagnait par surcroît de distinguer nettement sa méthode des procédés de concentration de la tragédie contemporaine. Le roman faisait ainsi un pas important vers la reconnaissance de sa nature propre et la conquête de son autonomie.

Il y a un autre point de contact entre le roman antérieur et *Zaïde*, dont je voudrais donner un exemple ; il permet de saisir sur le vif un progrès dans la cohérence et la rigueur où se reconnaît la main de Mme de Lafayette, bien plus que celle de Segrais. Il s'agit de la conversation qui ouvre l'*Histoire de Consalve* (p. 53 ss) . Elle rappelle à ne s'y pas tromper une conversation de la *Clélie ;* rien là de bien extraordinaire : on sait par ses lettres à Ménage que la jeune Mme de Lafayette, retirée en Auvergne, attendait avec impatience la parution des suites du long roman, les lisait avidement, interrogeait son ancien précepteur sur les clés des personnages. Un débat du t. I [14] porte sur les commence-

(14) *Clélie*, t. I, p. 196 ss.

ments d'un véritable amour : est-il soudain ? ou doit-il être précédé de relations d'estime et d'admiration ? en d'autres termes, faut-il, pour bien aimer, connaître ce qu'on aime ? Ce qui revient à poser la question de l'irrationnel en amour.

« Pour moi, dit Clélie, je n'ai jamais pu comprendre qu'il fût possible d'aimer ce qu'on n'a pas eu le loisir de connaître ». Horace prétend au contraire « qu'on peut avoir de l'amour dès le premier jour qu'on voit une personne qu'on est capable d'aimer », la passion sera plus ardente et durable « si elle naît en un instant, sans le secours de la raison ». Quant à Aronce, protagoniste du roman, sans savoir qu'il débat contre son rival, il défend la position adverse, celle de Clélie : une amour qui n'a pas « un commencement violent » et subit, qui est précédée d'admiration et d'estime, « est plus forte et plus solide que celle qui naît en tumulte, sans savoir si la personne qu'on aime a de la vertu, ni même de l'esprit... Ceux qui aiment le plus promptement ne sont pas les plus constants. »

Revenons à *Zaïde :* trois amis s'entretiennent et se divisent sur la même « question d'amour » : le prince don Garcie est de l'avis d'Horace : « Je crois que les inclinations naturelles se font sentir dans les premiers moments ; et les passions, qui ne viennent que par le temps, ne se peuvent appeler de véritables passions » ; mais Consalve, le narrateur, n'approuve pas ces passions qui naissent de la seule vue de l'objet aimé : permettez-moi « de n'aimer qu'une personne que je connaîtrai assez pour l'estimer et pour être assuré de trouver en elle de quoi me rendre heureux quand j'en serai aimé. » (p 54).

On voit la similitude entre Mlle de Scudéry et Mme de Lafayette ; mais il est beaucoup plus intéressant de déceler, à partir de ce point commun, les profondes différences. La première réside dans la liaison de la partie à l'ensemble ; sans doute, la conversation de Clélie et de ses amis n'est-elle pas tout à fait indépendante de l'action : chacun des personnages y défend la position qui correspond à son expérience, les deux amants de Clélie y font l'aveu voilé de leur amour, Horace tient pour la « surprise » parce qu'il a aimé Clélie dès le premier regard, tandis qu'Aronce l'a connue longtemps avant de l'aimer, puisqu'il est son frère d'alliance. Ceci admis, la conversation est indépendante, comme beaucoup d'autres dans ce roman, elle vaut par elle-même ; on pourrait presque dire que c'est le roman qui existe pour les conversations.

Il en va tout autrement chez Mme de Lafayette : le débat de *Zaïde* est parfaitement intégré ; il annonce la conduite de chacun des participants ; tout l'épisode y est contenu à l'avance, et la suite ne sera qu'une démonstration rigoureuse des thèses posées dans cette discussion, qui n'est nullement académique.

La démonstration de Mme de Lafayette conduit au renversement des positions de Mlle de Scudéry : l'amour est irrationnel, connaître et aimer ne sont en aucune manière synonymes. C'est au prince que les événements donnent raison et Consalve est réfuté par sa propre expérience ; il se voit trahi par Nugna Bella qu'il a choisi d'aimer, et plus tard, épris de Zaïde, il se trouve dans la situation même qu'il avait d'abord tenue pour irrecevable : il aime une inconnue, dont il ne peut rien connaître, puisqu'il ignore même sa langue ; il doit, amèrement, convenir de sa défaite, qui est celle de la liberté dans les affaires de cœur : « Ah ! don Garcie, vous aviez raison ; il n'y a de passions que celles qui nous frappent d'abord et qui nous surprennent ; les autres ne sont que des liaisons où nous portons volontairement notre cœur. Les véritables inclinations nous l'arrachent malgré nous et l'amour que j'ai pour Zaïde est un torrent qui m'entraîne sans me laisser un moment le pouvoir d'y résister. » (p. 88).

Cette « Histoire de Consalve » est racontée par l'intéressé lui-même ; c'est une confession à la 1re personne, forme normale de ces épisodes enchâssés dans les « grands romans », où un « récitant » prend la parole et se substitue temporairement à l'auteur ; mais ces autobiographies sont encore une forme de la conversation ; ce genre de récit est toujours adressé à quelqu'un, dont la présence ne s'oublie pas complètement. Dans *Zaïde*, Consalve se raconte à Alfonse, puis Alfonse se racontera à Consalve, Félime à Olmond.

Ces insertions de fragments autobiographiques dans la narration à la 3e personne auraient pu conduire directement au roman-mémoires qui florira dès la fin du XVIIe siècle et surtout au XVIIIe ; en fait, on s'en tient pour l'instant à un compromis, qui ne va pas toujours sans malaise pour le lecteur : le narrateur qui présente son propre passé se comporte à la fois comme sujet, dont le savoir est inévitablement limité à son champ de vision, et comme auteur omniscient. Le récit de Consalve offre de cette cote mal taillée un exemple très clair : il est trahi par ses amis, par sa maîtresse qui trament toute une intrigue à son insu ; il raconte ces événements qu'il ignorait comme s'il les connaissait ; il y a là une confusion entre la perspective du présent et la perspective du passé, confusion à laquelle un lecteur moderne, habitué à la vision subjective, à l'immersion dans l'instant, à de nouvelles conventions, est particulièrement sensible ; mais Mme de Lafayette a dû l'être aussi, puisqu'elle a éprouvé le besoin de nous dire comment son personnage avait été informé tardivement, et avait fait bénéficier son récit d'un savoir rétrospectif : « Je le priai donc de ne me rien cacher. Je ne vous redirai point tout ce qu'il me dit, parce que je vous en ai déjà raconté la plus grande partie pour donner quelque ordre à mon récit. Ce fut par lui que *j'appris toutes les choses que j'avais ignorées dans le temps qu'elles se passaient...* » (p. 85). *Pour donner quelque ordre à mon récit*, c'est-à-dire : pour le rendre plus clair au lecteur, doté ainsi non pas des seules connaissances du personnage, mais d'un savoir d'auteur, qui en sait plus que son personnage n'en peut embrasser sur le moment même, le récit se conforme, non pas à la chronologie de perception des faits, mais à leur ordre réel de succession. Mais qui perçoit cet ordre réel ?

De cette difficulté de l'autobiographie, Marivaux tirera au siècle suivant de surprenants effets de *double registre,* tandis que l'abbé Prévost en prendra une conscience bien plus nette que Mme de Lafayette, tout en procédant comme elle. Il vaut la peine de citer une page de *Cleveland* qui vient confirmer et compléter l'aveu énoncé dans *Zaïde :* « ... j'aurais dû remettre à la fin de mon ouvrage l'éclaircissement que je me suis hâté de donner en cet endroit... Qu'on se souvienne seulement que dans les événements que j'ai à raconter, mon sort m'était plus obscur qu'il ne l'est maintenant à mes lecteurs, et que la source principale de mes peines est de n'avoir pas eu plus tôt les mêmes lumières. » et « ... Quiconque lira cette funeste partie de mon histoire sera mieux instruit de la cause de mon malheur que je ne l'étais moi-même au temps qu'il m'est arrivé. Qui le comprendrait sans cette clef ? Mais après le soin que j'ai pris de préparer de si loin mes lecteurs à ce récit, ils ne trouveront rien d'obscur dans les ténèbres où ils me verront marcher. Ils jouiront clairement du spectacle de mes peines. Hélas ! que n'avais-je alors, pour les éviter, les lumières que je donne ici pour les faire entendre. » (éd. Amsterdam, 1744, III, 176 et IV, 117).

On comprend que Prévost soit revenu plus d'une fois sur cette anomalie, elle devait préoccuper un romancier dont l'œuvre entière revêt la forme autobiographique. Pour Mme de Lafayette, le problème était secondaire ; et avec la *Princesse de Clèves,* elle allait revenir au pur récit à la 3e personne, tout en sauvegardant au maximum les avantages de la confession ; ce sera pour le roman l'occasion d'une conquête décisive.

Ainsi se trouve posée la question de la présence de l'auteur dans son roman et dans ses personnages.

***

IV. — Présence et absence de l'auteur.

S'il y a un mérite que le critique reconnaît en effet au nouveau roman, c'est une espèce de non-intervention de l'auteur dans sa création, une distance volontaire que Du Plaisir nomme « désintéressement » ou « indifférence ». Charnes avait déjà relevé cette absence ; l'auteur de la *Princesse de Clèves,* disait-il dans sa Préface, ne se « voit point dans son ouvrage. Il y est caché comme dans le titre de son livre... », — allusion à l'anonymat sous lequel parut le roman. Mais Du Plaisir va plus loin dans l'analyse et les exigences : l'auteur doit disparaître, il doit s'abstenir de témoigner qu'il admire ou réprouve ses personnages ; son rôle est de s'effacer derrière eux, en se bornant à les faire agir de la coulisse ; pas de connivence ni de complaisance : « Ce désintéressement si nécessaire dans l'histoire défend aux historiens de joindre mesme à un nom quelque terme flatteur, quoyque facile à justifier. Autrement ils sortiroient de leur indifférence, et parlassent-ils mesme du Roy, ils ne pourroient pas dire *ce grand Prince*. Ce n'est point à eux d'estre juges du mérite d'un héros, ils doivent uniquement représenter ses sentiments ou sa conduite, et les lecteurs seuls peuvent lui donner les louanges dont il est digne. » (p. 129-30).

Ce qu'on veut sauvegarder ici, on le devine, c'est la liberté du lecteur contre les pressions d'un auteur qui sortirait de sa fonction en se manifestant comme inventeur. Cette exigence s'accorde très logiquement avec les prétentions du nouveau roman à se donner pour simple chronique de faits que l'on suppose s'être produits tels qu'ils sont relatés ; puisqu'il n'y a pas d'autre auteur que la réalité, on attend du romancier qu'il se comporte en simple rapporteur d'événements dans lesquels il feint de n'être pour rien, de manière que le lecteur ait l'illusion de se trouver devant la réalité même.

Du Plaisir se montre critique subtil et exact quand il prohibe certains tours de syntaxe par lesquels l'écrivain trahit une présence abusive ; tel est, par exemple, le sort de *tellement* ou de *si...que ;* chaque fois qu'il use de tournures de ce genre, le romancier sort de son incognito, il semble prendre parti, déclarer sa passion pour ses créatures, faire un signe au lecteur par-dessus l'épaule de son personnage pour l'incliner dans son propre sens, il enfreint le nécessaire « désintéressement ». Il vaut la peine de citer la démonstration du critique :

« Il me semble aussi que dans l'usage de ces mots, l'historien paroist trop s'intéresser pour la matière qu'il traite, et qu'il ne peut dire, *Elle prenoit tant de soin de n'estre pas surprise à sa toilette, qu'on la soupçonnoit d'estre un peu obligée de sa beauté à la parure et aux secrets.* Il me semble, dis-je, qu'il ne peut écrire *elle prenoit tant de soin*, ou bien au contraire *elle estoit naturellement belle*, sans faire voir une affectation à le persuader. Cet intérest est opposé à son caractère, de raconter les choses nuement, de ne prétendre point estre cru sur sa parole, de nous faire connoistre le mérite ou le démérite par leurs effets, ou par leur peinture, et de nous laisser juger nous-mesmes combien l'un et l'autre sont grands. » (p. 225-7).

Il y aurait quelque anachronisme à invoquer ici Flaubert, sauf en un point : on notera que l'absence de l'auteur se traduit ici et là, du moins dans la théorie, par le rêve d'un style linéaire et continu, d'un tissu dense et lisse ; c'est l'idéal de « la ligne droite » et du « mur tout nu » chez Flaubert, c'est « l'uniformité de style » chez les « classiques » ; Du Plaisir prône de son côté « l'égalité ordinaire » d'un discours que nul « accident » ne devrait rompre ; or, les tournures qu'il vient de condamner comme personnelles sont précisément de ces accidents : « il me paroist que ces manières font dans le style une espèce de saillie, et de transport, qui le mettent hors de *cet état égal et uni*, si propre et si nécessaire à l'histoire ; elles y répandent un air d'orgueil et de dureté trop contraire à sa facilité naturelle ; et par toutes ces raisons, je me contenterois de réciter naïvement les choses, de joindre sans aucun embarras l'effet à la cause... » (p. 227-8).

Cette occultation de l'auteur est liée, dans le sentiment des contemporains, à une vertu qui distingue à leurs yeux la « nouvelle » des romans antérieurs, coupables d'amonceler les événements surprenants, les rencontres fortuites, les miracles ; tout cela trahit la main d'un inventeur indiscret, d'un « maître du jeu », qui accommode les choses comme il veut, à la façon des

« bateleurs tenant les fils de leurs marionnettes »[15]. Rien de semblable dans la « nouvelle », puisqu'elle se couvre derrière l'Histoire et résigne entre ses mains son pouvoir fabulateur.

Ici surgit une difficulté. Mme de Lafayette s'intéresse avant tout aux mouvements secrets de ses protagonistes. Si elle adopte l'attitude de l'historien situé à distance de ses personnages et censé ne les voir que de l'extérieur, comment en révèlera-t-elle l'intérieur ? Ce qui se passe au plus secret d'eux-mêmes ne peut être connu, en stricte logique, que d'eux-mêmes ou, à la rigueur, d'un proche confident. La solution serait ou le journal, l'autobiographie à la première personne — solution moderne des XIXe et XXe siècles —, ou la déposition d'un intime. C'est cette seconde solution qui vient normalement à l'esprit d'un lecteur du XVIIe siècle : Valincour fait à ce propos une observation qui ne pouvait émaner que d'un homme formé aux grands romans antérieurs : « Mais la jalousie de Mme de Clèves, à l'occasion de la lettre,... et mille autres choses de cette nature, comment (l'auteur) les a-t-il pu savoir ? » Il aurait dû, comme dans les « grands romans », « donner à chacun de ses héros un confident de qui l'on eût pu apprendre leurs aventures secrètes » [16].

Puisque la « nouvelle » renonce aux épisodes rétrospectifs, Mme de Lafayette était contrainte de s'octroyer des pouvoirs plus étendus que ceux du simple historien, qui sont précisément les pouvoirs du romancier. Elle devait intervenir.

D'autre part, en donnant à son héroïne une passion dont celle-ci ne connaît pas d'abord l'existence et qu'elle ne peut exprimer qu'à son insu, à travers toutes sortes de voiles et de détours, Mme de Lafayette ne se rendait pas la tâche aisée, si elle prétendait en même temps demeurer fidèle à ce vœu de son époque : se cacher derrière sa création. Comment dire ce qui se

(15) SOREL, *Connaissance des bons livres*, Paris, 1671, p. 117.
(16) VALINCOUR, *Lettres à Mme la Marquise...*, p. 147.

passe au fond du cœur de Mme de Clèves, si celle-ci le dissimule aux autres aussi bien qu'à elle-même, si elle ne le connaît qu'avec le décalage d'une introspection toujours en retard sur l'événement ? Au moment où son cœur vibre, un voile l'enveloppe qui le dérobe à ses yeux et ne le laisse voir qu'aux tiers intéressés par leur passion pour elle. Ni le confident de Valincour, ni la confession à la première personne n'y seraient habilités. Et pourtant, nous lisons dans ce cœur comme s'il était de verre. C'est que nous avons en l'auteur un intermédiaire plus savant que le plus intime des amoureux ; c'est lui qui soulève ce voile et nous fait connaître ce que l'héroïne ne sait pas encore et tout ce qu'elle s'efforce de cacher à autrui : « il lui semblait que ce qui faisait l'aigreur de cette affliction était ce qui s'était passé dans cette journée... Mais elle se trompait elle-même ; et ce mal, qu'elle trouvait si insupportable, était la jalousie avec toutes les horreurs dont elle peut être accompagnée » (p. 310). Il a bien fallu que l'auteur intervînt. Ce n'est pas Mme de Clèves qui dégage de la confusion actuelle du sentir cette jalousie et lui donne son nom, c'est la narratrice qui la connaît mieux qu'elle ne se connaît, et distingue à l'avance ce qu'elle ne verra qu'avec retard. Ce faisant, elle rend le lecteur complice de sa clairvoyance et lui accorde ce plaisir exquis d'être un peu en avance sur l'héroïne, et de faire simultanément ce que celle-ci est condamnée à expérimenter successivement : vivre sa passion et la regarder, vibrer et analyser. Cet art si subtil qui montre l'héroïne se donnant le change sur des sentiments contradictoires et enchevêtrés, éprouvant ce qu'elle ne s'avoue pas, oblige la romancière à dissocier, à rectifier à sa place ; ainsi p. 274 : « Mme de Clèves avait d'abord été fâchée que M. de Nemours eût eu lieu de croire que c'était lui qui l'avait empêchée d'aller chez le maréchal de Saint-André ; mais ensuite elle sentit quelque espèce de chagrin que sa mère lui en eût entièrement ôté l'opinion » ou trois pages plus loin : « Elle ne pouvait s'empêcher d'être troublée de sa vue, et d'avoir pourtant du plaisir à le voir... » Ces pages raffinées, qui insèrent l'analyse dans le mouvement de la narration [17], attestent un goût de la complexité, des enroulements de sentiments fluctuants aussi proche de Montaigne que du « mouvement continuel » de La Rochefoucauld ; mais ce sont autant d'interventions qui signalent l'auteur, et l'arrachent à son anonymat.

Cependant, sa volonté de se dissimuler lui fait saisir toutes les occasions de déléguer sa fonction à un de ses personnages ; ainsi le voit-on se retrancher derrière Mme de Chartres, et regarder à travers la perspicacité de la mère dans l'ingénuité de la fille : « sans avoir un dessein formé de lui cacher, elle ne lui en parla point. Mais Mme de Chartres ne le voyait que trop, aussi bien que le penchant que sa fille avait pour lui » (p. 270) ; ailleurs, ce sont les regards de Guise, de Clèves, de Nemours surtout qui, comme amoureux de la jeune femme, l'épient, la pénètrent et nous font bénéficier de leur pénétration ; relayant la narratrice, l'amant interprète la mauvaise humeur de l'héroïne et y décèle une preuve secrète d'amour : « Ce prince ne fut pas blessé de ce refus : une marque de froideur, dans un temps où elle pouvait avoir de la jalousie, n'était pas un mauvais augure » (p. 323).

Seulement, ces occasions sont rares, et se raréfient de plus en plus au fil du récit, puisque, on l'a vu, Mme de Clèves nous est montrée le plus souvent seule, occupée à lire en elle-même et à se découvrir. Grande beauté du livre, mais tentation pour l'auteur de venir exagérément au premier plan et de donner elle-même l'analyse des mouvements intimes de son héroïne ; c'est effectivement ce qui se produit au cours des admirables soliloques qui font la trame continue de l'œuvre ; mais il faut aussitôt remarquer le soin que prend la narratrice de n'en pas dire plus que ce que Mme de Clèves se dit à elle-même et de ne faire apparaître en sa conscience que ce qu'elle y voit elle-même ; ces soliloques n'ont rien de commun avec certains monologues intérieurs du

(17) Cf. Jean Fabre, *op. cit.*

roman moderne, où ce sont les images, les pensées souterraines, le pullulement de l'inconscient qui affleurent pêle-mêle au jour : on ne lit ici que les pensées claires, à l'instant où elles naissent à la clarté : « elle fit réflexion à la violence de l'inclination qui l'entraînait... ; elle trouva qu'elle n'était plus maîtresse de ses paroles et de son visage ; elle pensa que... Elle se souvenait... Ce que M. de Clèves lui avait dit... lui revint dans l'esprit ; il lui sembla qu'elle lui devait avouer l'inclination qu'elle avait pour M. de Nemours. Cette pensée l'occupa longtemps ; ensuite elle fut étonnée de l'avoir eue, elle y trouva de la folie, et retomba dans l'embarras de ne savoir quel parti prendre » (p. 303-4).

Si les soliloques de Mme de Clèves suivent avec souplesse les détours des mouvements passionnels, ils ne déroulent cependant que le discours d'une conscience organisée; le trouble ne parle pas le langage du trouble, mais celui de la connaissance réflexive, de ce moment second où l'esprit fait effort pour voir clair dans son trouble. On sait pourtant que la passion est chez Mme de Lafayette foncièrement désorganisatrice. Ne parlera-t-elle nulle part son propre langage ? Où est le « style du cœur » ? Il est dans le comportement de Mme de Clèves en présence d'autrui; ce sont les gestes, les propos dialogués, les rougeurs ou les silences de l'héroïne en compagnie qui représentent le discours désorganisé de la passion. Le roman fait donc alterner les deux modes d'expression, celui des actes au contact d'autrui et celui des retours sur soi, le langage du cœur troublé et le langage du soliloque réflexif. Nous retrouvons ici, au niveau du langage, l'alternance déjà constatée. Ainsi, par un retournement significatif, c'est dans le monde, où tout est masque et mensonge, que l'héroïne met à nu le désordre de son cœur; et c'est dans la solitude qu'elle se compose et s'ordonne. Tout à l'opposé d'une duchesse de Valentinois ou d'une Madame de Tournon, dont les histoires insérées accusent par contraste le caractère de l'héroïne, celle-ci nous est présentée comme une ingénue, inapte à se déguiser et destinée à la vie cachée, à la retraite où elle finira par se réfugier, dans un dénouement qui est l'accomplissement de sa destinée.

En ce qui regarde la technique du récit, les nombreux soliloques de Mme de Clèves contribuent à assurer sa position prédominante : c'est de son point de vue que nous vivons le roman. Il y avait là pour la romancière une partie délicate à jouer, si elle voulait garder le ton de la chronique : se maintenir dans l'anonymat tout en allant aussi loin que possible dans l'introspection; en effet, en ces séquences confidentielles où affleure le trouble des profondeurs, l'auteur reste au niveau de connaissance de son héroïne, s'abritant pour ainsi dire derrière elle, ce qui est une manière de se cacher dans les moments mêmes où il veut éviter de s'exhiber en position de témoin omniscient révélant des secrets inconnus au personnage lui-même.

Pour que le narrateur pût se confondre absolument avec son héros jusqu'en sa conscience obscure, tout en respectant le statut de l'auteur invisible, il eût fallu recourir à une technique différente : celle du récit à la première personne. Elle est employée occasionnellement au XVIIe siècle, dans les cas où un personnage interrompt le récit objectif pour raconter sa propre histoire; mais on a vu que cette méthode était condamnée en 1680. Mme de Lafayette en avait usé pour les récits intercalés de *Zaïde ;* l'autobiographie d'Alfonse analysant le « labyrinthe » de sa jalousie est une exceptionnelle réussite. Il y avait là un moyen d'avenir, auquel on semble renoncer momentanément; on y reviendra un peu plus tard quand, par la fusion du roman et des mémoires en pseudo-mémoires, le récit tout entier passera à la première personne. Mais la *Princesse de Clèves,* composée selon la méthode de la relation historique, ne pouvait échapper au discours à la troisième personne. En combinant les ressources du rapport impersonnel avec l'introspection du soliloque au style indirect, Mme de Lafayette a réussi le plus heureux composé du *il* et du *je,* de la relation et de l'analyse, de l'absence et de la présence de l'auteur.

Les contemporains, quelles que fussent les discordances, ont admiré le résultat. Le cœur est un *abîme*, la romancière avait su utiliser la nouvelle technique romanesque pour faire de cet abîme une réalité sensible et pénétrable au lecteur. « Il faut des lumières très grandes pour pénétrer jusqu'au fond de cet abîme, pour ne point s'égarer parmi tant de diversités, pour toucher vivement des matières si imperceptibles, et pour expliquer avec netteté des choses qui, par le peu de connaissance qu'on en a eu jusqu'ici, n'ont presque point encore de termes propres [18]. » On ne pouvait mieux exprimer le sentiment de nouveauté et de découverte dans la profondeur donné par le roman de Mme de Lafayette.

(18) Du Plaisir, *Sentiments...*, p. 113-114.

MARIVAUX
ou
LA STRUCTURE DU DOUBLE REGISTRE

I. — Un spectateur de ses « hasards ».

« Je ne sais point créer, je sais seulement *surprendre en moi les pensées que le hasard me fait*, et je serais fâché d'y mettre du mien [1]. » Bien entendu, c'est l'artiste, en Marivaux, qui fait ici profession de passivité, de « paresse ». Le refus de « créer », c'est le refus de composer, d'ordonner préalablement l'œuvre, afin de mieux accueillir les surprises de l'improvisation, en « lambeaux sans ordre ». Méfiance de l'ordre, du projet, du plan, de tout ce qui semble à l'avance enchaîner le présent au passé et ruiner la liberté de l'instant. Position normale, quand on connaît l'instantanéité de l'être marivaudien [2]. Réserver les chances de l'instant créateur, c'est aussi sauvegarder l'originalité de l'esprit, assurer le naturel de sa démarche, purifier l'inspiration de toute intrusion étrangère : « En un mot, l'esprit humain, quand le hasard des objets ou l'occasion l'inspire, ne produirait-il pas des idées plus sensibles et moins étrangères à nous, qu'il n'en produit dans cet exercice forcé qu'il se donne en composant ? [3] »

---

(1) *Spectateur français*, première feuille.

(2) V. à ce sujet les belles pages de G. Poulet dans la *Distance intérieure*, Paris, 1952, p. 4 ss.

(3) *Spectateur français*, première feuille.

Par cette esthétique du hasard et de l'improvisation déclarée, Marivaux se situe sur une ligne qui va de Montaigne à Stendhal : Montaigne a fait grand état de la « fortune » qui, à l'en croire, gouverne son vagabondage, son art « fortuite » et sans art, sa « bigarrure »; Marivaux trouve le même terme : « un peu de bigarrure me divertit »[4]. Quant à Stendhal, il a assez dit que faire des plans glaçait son imagination.

Sans doute la pratique, nous le verrons, pourra démentir en partie la doctrine avouée; il reste que Marivaux se dit et se veut improvisateur, et ceci porte déjà signification.

Il y a plus : la volonté d'improvisation est liée, chez Marivaux, à une attitude de passivité spectatrice; ces « hasards » que sont les rencontres de l'instant et de l'esprit, il ne les provoque pas, il les attend; il se tient à distance, et il regarde. La posture qui lui est familière, c'est celle du guetteur : « J'ai guetté dans le cœur humain toutes les niches différentes où peut se cacher l'amour lorsqu'il craint de se montrer... » Ce qu'il guette, c'est quelque chose qui passe, qui va et vient, selon une des expressions constantes de son lexique; tantôt ce sont les hommes qui passent, « porteurs de visages », dans la rue ou à la sortie de l'opéra ; tantôt ce sont les « choses », le monde qu'il tient en point de mire, séparé de son regard par l'intervalle que met entre eux sa passivité immobile : « Les choses vont, et je les *regarde* aller; autrefois j'allais avec elles, et je n'en valais pas mieux; parlez-moi, pour bien juger de tout, de n'avoir plus d'intérêt à rien... [5] » La dis-

(4) XI, p. 123 (les références renvoient à l'édition Duchesne en 12 volumes, Paris, 1781, à l'exception du théâtre, pour lequel je renvoie à l'édition de la Pléiade, Paris, 1955).

Entre Montaigne et Marivaux, la liaison, à cet égard, est assurée par les mondains, les burlesques, les précieux, les poètes de la « grâce » et de la « variété » : Méré, Scarron, La Fontaine... Entre Marivaux et Stendhal, admirateur de la *Vie de Marianne,* il y a les Anglais qui lisaient les romans de Marivaux, il y a le Diderot de *Jacques le Fataliste,* récit conduit sur plusieurs plans, coupé d'interventions d'auteur, comme tous les romans de Marivaux.

(5) *Indigent Philosophe,* IX, p. 498.

tance est mise ici par l'âge et la misère de l' « indigent philosophe », qui est coupé de sa propre vie; ce sera la situation de Marianne et de Jacob. Tantôt enfin, l'objet regardé de loin sera le « cœur », le cœur marivaudien, qui lui aussi, plus que tout le reste, va et vient, sans qu'on y puisse rien : « ce cœur..., il va comme ses mouvements le mènent, et ne saurait aller autrement » [6]. Ce cœur est sous le regard d'un guetteur obstiné et séparé : l' « esprit », qui tient l'emploi, un peu à l'écart et hors jeu, d'une conscience spectatrice. On sait que le motif du miroir, du regard qui se retourne sur soi, est partout chez Marivaux.

*
* *

II. — Les romans du spectateur.

Entre le théâtre de Marivaux et ses romans, il y a des communications et des échanges. Pour commencer, c'est par une série d'exercices romanesques de jeunesse qu'il prépare non seulement ses romans de maturité, mais son œuvre dramatique.

Il débute par un long roman à épisodes enchâssés, dans la grande manière du XVIIe siècle, où je vois moins une parodie qu'un de ces pastiches dont Proust se servait pour se désintoxiquer d'un auteur, mais un pastiche beaucoup moins volontaire. Aussi le vrai Marivaux en est-il encore à peu près absent. Dans notre perspective, un seul fait à retenir : le roman est conçu comme une lettre à une dame dont l'auteur serait épris; les aventures des héros la convaincront des beautés du parfait amour. De temps à autre, le conte s'interrompt pour laisser le conteur devenir lui-même amant et héros, s'adresser à la destinataire, jeter un regard sur le récit en cours : « Le jour paraissait alors; et sans doute direz-vous, Madame, le récit d'Isis avait été assez long pour lui donner le temps de paraître... Vous y

---

(6) *Heureux stratagème*, Pléiade, p. 921.

devez trouver des situations assez surprenantes, des malheurs qui passent l'imagination, etc... » (VI, p. 176.) Cette ébauche d'un dialogue par dessus la tête des personnages, à travers un récit rompu où alternent la présence et l'absence de l'auteur, c'est l'ébauche du véritable Marivaux, qui va se faire jour dans les autres œuvres de la même période de jeunesse : d'abord, dans la *Voiture embourbée*, où il introduit, sur le modèle des pseudo-mémoires contemporains, le récit à la première personne, mis dans la bouche d'un narrateur mêlé aux événements; l'auteur se confond avec ce narrateur et se trouve tout naturellement amené à multiplier les propos d'auteur sur les faits racontés; étant à la fois personnage du récit et récitant, il peut mettre ses interventions d'auteur au compte du personnage, qui n'est pas un personnage comme les autres; plongé dans le récit comme personnage, il le survole comme narrateur. Ainsi s'esquisse, sous une première forme rudimentaire, la combinaison proprement marivaudienne du spectacle et du spectateur, du regardé et du regardant. On la verra se perfectionner dans la *Vie de Marianne*, dans le *Paysan parvenu*, et, par une série de transpositions, dans le Théâtre.

Auparavant, toujours dans les essais romanesques de jeunesse, Marivaux pousse le plus loin possible le système des interventions d'auteur dans le *Pharsamon*. Avec la liberté extrême que lui accorde la tradition burlesque dans laquelle il s'insère à ce moment [7], avec le refus qu'elle comporte de toute connivence entre le récitant et son récit, Marivaux interrompt sans cesse la narration à la 3e personne pour se projeter au premier plan, monologuant avec lui-même ou dialoguant avec un lecteur supposé, jugeant et interprétant ses personnages, leurs actes et leur langage. C'est un livre

(7) C'est un élément de cette tradition burlesque que les interventions de l'auteur, à la faveur des distances qu'il prend à l'égard de ses personnages et de leurs actes, qu'il juge en étranger non complice (Cf. Cervantès, Scarron, Furetière, le La Fontaine de *Psyché*, des *Contes*...).

dans le livre et sur le livre, où s'esquisse toute une esthétique à bâtons rompus, — qui est aussi une esthétique du bâton rompu, de la variété, du « hasard » :

« Quelle étrange histoire, dit un certain Critique sérieux ! Le désordre est en vérité mille fois plus dans votre esprit que dans celui de ces extravagants intimidés, dont vous nous racontez la frayeur... Monsieur le Critique..., vous vous étonnez qu'un rien produise un si grand effet. Et ne savez-vous pas, Raisonneur.., que le Rien détermine ici l'esprit de tous les mortels...; que c'est toujours le Rien qui commence les plus grands Riens qui le suivent, et qui finissent par le Rien ? Ne savez-vous pas, puisque je suis sur cet article... qu'un Rien a fait votre critique, à l'occasion de Rien qui me fait écrire mes folies ? Voilà bien des Riens pour un véritable Rien. Il faut cependant me tirer de ce discours; car j'aime à moraliser, c'est ma fureur; et s'il était séant de laisser mes personnages en pleine campagne sans leur donner du secours, j'ajouterais... Mais quittons un Rien pour revenir à un autre. » (XI, p. 322-323.)

Après une autre rupture du récit : « Mais c'est assez moraliser à l'occasion d'une petite conversation de deux femmes; et quoique je me donne la liberté de tout dire, et de *changer de discours, à mesure que les sujets qui se présentent me plaisent,* je suis mon goût; cela est naturel; revenons à nos deux dames. » Mais à peine leur revient-il qu'il les quitte de nouveau, pour se remettre sur la scène, et aussitôt s'en gourmander : « je vous avoue, mon cher et véritable lecteur, que le plaisir de se trouver chaudement dans une attitude amie du repos, est un plaisir auquel je renonce avec le plus de peine... Mais de quoi m'avisé-je ici de parler de moi et de mon humeur ? » (XI, p. 404-405.)

A tout propos il vagabonde, et en vagabondant justifie son vagabondage : « Voici, dira quelque critique, une aventure qui sent le grand; vous vous éloignez du goût de votre sujet; c'est du comique qu'il nous faut, et ceci n'en promet point. Dans le fond, il a raison : j'ai mal fait de m'embarquer dans cette aventure... Il me prend presque envie d'effacer ce que je viens d'écrire. Qu'en dites-vous, Lecteur ?... mais c'est de la peine de plus, et je la crains. Continuons... Un peu de *bigarrure* me divertit. Suivez-moi, mon cher Lecteur. A vous dire le vrai, je ne sais pas bien où je vais; mais c'est le plaisir du voyage. » (XI, p. 122-123.) Technique de l' « inconstance », et du hasard : « Je me suis, dites-vous tout bas, quelquefois trouvé dans l'embarras. Qu'importe, si je m'en suis bien tiré, je n'en aurai que plus de mérite. *Quand on ne sait où l'on va,* s'il arrive qu'on se conduise passablement, on est plus adroit que ceux qui marchent la carte en main... allons, allons toujours; *le hasard y pourvoira.* » (XI, p. 203-204.)

Ainsi, que ce soit pour interpeller le lecteur, ou ses personnages, ou pour s'introduire lui-même comme personnage intermittent confessant ses humeurs et ses opinions, l'auteur ne cesse de tenir ouvert le double registre du récit et du regard sur le récit, faisant la navette de l'un à l'autre, s'unissant à ses héros puis s'en dissociant, constatant que leur temps vécu n'est pas le même que le sien : « ... continuons. Voilà tous nos gens couchés, il n'est encore que trois heures du matin pour eux, mais il n'est que neuf heures du soir pour moi, et ainsi je vais les faire agir tout comme s'ils avaient ronflé vingt-quatre heures. Debout ! Tout m'obéit; déjà les domestiques allongent leurs bras et se frottent les yeux... » (XI, p. 339.) Nous voilà introduits dans les coulisses où nous voyons l'auteur se livrant à ses travaux de metteur en scène.

Sans doute, toute cette dissolution voulue de l'illusion romanesque fait-elle partie de la tradition burlesque [8]

(8) Sur les autres aspects de cette rencontre de Marivaux avec le burlesque, et ses effets, on consultera l'utile thèse de F. DELOFFRE, *Une Préciosité nouvelle, Marivaux et le Marivaudage,* Paris, 1955, qui concerne principalement le langage. Je signale en passant une page remarquable du *Pharsamon,* qui montre Marivaux conscient des avantages artistiques du refus de la grande manière et des beaux sujets; on pense à la promotion contemporaine de la nature morte isolée chez un Chardin. Le lecteur critique s'insurge contre une histoire d'enfants qui volent des pommes dans un verger ; l'auteur lui répond : « Ecoutez, sieur Lecteur, je pourrais prendre le parti de

dont elle trahit l'intention première. Mais Marivaux, qu'on a vu défendre au passage l'amour tendre, n'est un burlesque que partiel et provisoire, et pour les besoins de son apprentissage. Ce qu'il en retient avant tout, parce que c'est là que le mène une de ses tendances profondes, c'est la libre conduite d'un récit qui montre à la fois le travail de l'auteur et la réflexion de l'auteur sur son travail; c'est l'introduction dans l'œuvre d'une conscience critique.

Dans le petit roman si vif qu'il écrit quelques années plus tard, sous le titre *Lettres contenant une aventure*, Marivaux reprend sous une forme différente le double plan du spectateur guettant et des personnages regardés : le narrateur et expéditeur des *Lettres* surprend dans un pavillon de parc, écoute à l'écart, enregistre et commente à l'occasion une conversation entre deux dames, dont l'une raconte à l'autre sa vie, ses expériences d'amoureuse coquette; première ébauche de la future *Vie de Marianne*.

Quant à la *Vie de Marianne* elle-même, et au *Paysan parvenu* son contemporain, ces deux romans de la maturité sont deux jumeaux qui offrent une variante nouvelle de la structure permanente de Marivaux. A première vue, les deux plans superposés se rejoignent, puisque le personnage agissant et le personnage spectateur n'en font plus qu'un : Marianne est à la fois celle qui vit ses aventures et celle qui les raconte; elle hérite seule de la double part du héros et du narrateur, qui étaient jusque-là distribués à des personnes séparées. Toutefois les deux registres ne se confondent pas malgré les apparences, ils demeurent distincts et disjoints :

---

défendre l'histoire de mon écuyer... Quoi ! vous dirais-je, parce qu'il y a des pommes, des moineaux, et des enfants qui se divertissent, vous concluez de là qu'elle est ennuyante ; ce ne sont point les choses qui font le mal d'un récit ; et l'historien le plus grave... en rangeant en bataille cent mille hommes de part et d'autre... n'ennuie quelquefois pas moins que le pourrait faire le simple récit de deux enfants qui jouent, les yeux bandés, à s'attraper l'un l'autre ;... une pomme n'est rien; des moineaux ne sont que des moineaux; mais chaque chose, dans la petitesse de son sujet, est susceptible de beautés... » (XI, p. 397).

Mais comment Marivaux dramaturge a-t-il transpose cette structure au théâtre ? Il y avait là un problème, puisque le théâtre lui interdisait aussi bien les interventions d'auteur que la perspective du passé et l'analyse introspective à la première personne.

*
* *

III. — Le théâtre du double registre.

Ce qui était jusqu'à présent la fonction de l'auteur spectateur ou du narrateur témoin va être transféré à certains personnages ou groupes de personnages, jetés eux aussi sur la scène et dans l'action, mais évoluant en marge des personnages centraux : les amoureux, Lelio, Dorante, Araminte ,la Comtesse... Ces amoureux, qui sont des *tendres* de souche romanesque, vont sans se voir, entraînés dans le mouvement du sentiment : « Nous sommes plus pressés d'aller, de jouir de nous que de nous voir. » (IX, p. 573.) C'est aux personnages latéraux que sera réservée la faculté de « voir », de regarder les héros vivre la vie confuse de leur cœur. Ils ausculteront et commenteront leurs gestes et leurs paroles, ils interviendront pour hâter ou retarder leur marche, faire le point d'une situation toujours incertaine, interpréter des propos équivoques. Ce sont les personnages témoins, successeurs de l'auteur-narrateur des romans et délégués indirects du dramaturge dans la pièce. De l'auteur, ils détiennent quelques-uns des pouvoirs : l'intelligence des mobiles secrets, la double-vue anticipatrice, l'aptitude à promouvoir l'action et à régir la mise en scène des stratagèmes et comédies insérés dans la comédie.

Tel est, dans *Arlequin poli par l'amour*, le rôle de Trivelin et de la Fée, qui regardent naître l'amour et l'esprit chez Silvia et Arlequin, et celui de Colombine et du Baron dans la *Surprise*, témoins critiques de ce qui se passe dans le cœur de Lelio et de la Comtesse, amoureux sans le savoir : « Ah ! le beau duo ! Vous ne savez pas encore combien il est tendre. » Courte phrase où se révèlent tout ensemble la cécité des cœurs épris sans le savoir, la clairvoyance démasquante et traductrice des personnages spectateurs et leur vision anticipatrice. Ailleurs, ce sera Flaminia, qui mène tout le jeu de la *Double inconstance* de Silvia et d'Arlequin; ce seront Hortense et sa soubrette dans le *Petit-Maître corrigé,* Hortense et les valets dans le *Legs,* Lisette et Frontin dans les *Serments indiscrets,* où les cœurs pris sous le regard sont ceux de Lucile et Damis, amoureux contre leur gré. Les *Fausses Confidences* font de Dubois, meneur de jeu virtuose, un équivalent masculin de Flaminia et le type accompli de l'acteur témoin; il est l'œil, omniprésent et omniscient, prévoyant tout ce qui se produira dans les sensibilités de ces amoureux dont il est le vrai maître : « je m'en charge, je le veux, je l'ai mis là..., je connais l'humeur de ma maîtresse..., je vous conduis. » Son diagnostic est péremptoire et sans défaut : « elle se débattra tant, elle deviendra si faible, qu'elle ne pourra se soutenir qu'en épousant; vous m'en direz des nouvelles » (I, 2); les événements semblent lui donner tort, Araminte excédée le rabroue, il jubile : « Voici l'affaire dans sa crise » (II, 16); Dorante croit tout perdu, lui se frotte les mains, il voit plus profond et plus loin que ces cœurs en émoi que leur émotion empêche de rien voir; il est si sûr de son affaire, il pénètre si bien les ressorts des passions en cours qu'il peut se permettre les gaffes volontaires, les stratagèmes hasardeux, tous ses coups portent juste.

Si les acteurs témoins sont souvent les valets et soubrettes, héritiers des Premiers Zannis de la Comédie italienne, et maintenus hors jeu par leur condition (« Dans mon petit état subalterne, dit le Frontin des *Serments, je regarde, j'examine...* »), la fonction peut être étendue à d'autres emplois; ainsi, l'Hortense du *Legs* ou du *Petit-Maître corrigé,* parce qu'elle a déjà atteint la phase finale de la passion, qui lui assure une sorte d'immobilité et un haut degré de clairvoyance à l'égard de ceux qui en sont encore à se débattre avec leur cœur. Au reste toutes sortes de combinaisons sont possibles et tour à tour essayées par Marivaux : des témoins hostiles dont l'hostilité aiguise le regard, une Araminte en palier intermédiaire, à la fois regardée et regardant : ce sont les *Fausses Confidences;* à côté des témoins clairvoyants, et en contraste bouffon avec eux, des spectateurs qui ne comprennent rien à ce qui se passe : ce sont les deux pères des *Serments indiscrets;* ou bien une rocade peut s'opérer en cours de route d'un groupe à l'autre : c'est la Silvia du *Jeu de l'amour et du hasard,* qui passe au troisième acte dans le camp des guetteurs et réalise son projet initial : « Si je pouvais *le voir, l'examiner* un peu sans qu'il me connût ». Termes de témoin, c'est-à-dire de vigie et d'affût.

De la sorte, avec de nombreuses variantes, chaque pièce se développe sur un double palier, celui du cœur qui « jouit de soi » et celui de la conscience spectatrice. Où est la vraie pièce ? Elle est dans la surimpression et l'entrelacement des deux plans, dans les décalages et les échanges qui s'établissent entre eux et qui nous proposent le plaisir subtil d'une attention binoculaire et d'une double lecture.

Pour le signaler en passant, un point de vue tout différent propose lui aussi une double lecture du théâtre de Marivaux. On lui a reproché au XVIIIe siècle de ne pas construire; au contraire, Claudel se déclare frappé par sa rigueur de composition, plus serrée encore, dit-il, que celle de Racine. Ces deux jugements contradictoires sont justes tous les deux. En effet, la pièce considérée comme agencement global de scènes est un véritable mécanisme de symétries, de figures rigoureusement géométriques. Qu'on examine à cet égard, pour ne citer qu'un ou deux exemples, la *Dispute,* toute en duos parallèles et se répondant étroitement entre eux, ou les *Sincères,* en forme de double pyramide : au centre, une scène à double volet entre les deux « sincères », couple momentané et instable; avant ce sommet médian, chacun des couples initiaux a une scène de froideur et de congé, à quoi répondent, dans la partie descendante, deux scènes de retour et de tendresse; un chiasme dramatique; cette charpente est à l'image du mouvement dessiné par les couples qui se séparent, se croisent, reprennent leurs positions premières.

A cette composition volontaire et géométrique des ensembles qui trahit la main d'un ouvrier très conscient, très maître de ses situations et de ses personnages, s'oppose le cheminement imprévu, vagabond, capricieux du dialogue à l'intérieur des scènes, d'où tout plan paraît absent; ici, les personnages semblent échapper à l'auteur et improviser en toute liberté[11]; la scène, à la différence de la pièce, est livrée à des êtres qui ne savent où ils vont et suivent toutes les impulsions de l'instant; c'est la revanche du hasard. Autant la pièce comme ensemble est construite, autant la scène prise en elle-même l'est peu, ou feint de l'être peu. Le tout atteste l'action d'un auteur qui sait où il va et qui affirme sa présence, alors que la partie semble abandonnée aux personnages, dont la présence unique rejette l'auteur à l'arrière-plan.

Combinaison rare de spontanéité et de volonté, d'improvisation et de calcul, de souplesse et de géométrie, de présence alternée de l'auteur et des personnages, qui exige de nous une attention simultanée à des formes antagonistes et qui pourtant se mêlent, se supportent mutuellement.

Mais revenons au double registre, Les communications entre les deux paliers sont multiples. Les personnages témoins ne se bornent pas à regarder les héros aller leur train, ils interviennent pour diriger leur progression quand elle menace de stagner. Toute pièce de Marivaux est une marche vers l'aveu; elle est faite d'aveux graduels et voilés; la scène dominante de chaque acte est toujours la scène d'aveu, c'est autour d'elle que l'acte s'organise. Aussi le rôle des acteurs témoins sera-t-il de faciliter ou de provoquer sans en avoir l'air un aveu qui tarde, parce que les cœurs marivaudiens sont lents, ou un aveu qui se refuse, parce que les cœurs se dérobent ou se dissimulent. Un amour

---

(11) Ceci tient en grande partie à la nature de la réplique chez Marivaux, fort bien analysée par F. Deloffre, *op. cit.*, p. 193 ss.

destiné à durer a des débuts si imperceptibles, il est tellement invisible à ceux qui l'éprouvent, « si caché, si loin d'eux, si reculé de leur propre connaissance, qu'il les mène sans se montrer à eux, sans qu'ils s'en doutent » (IX, 548). Comment viendrait-il au jour sans l'action stimulante de ces observateurs sagaces qui, eux, s'en doutent ? L'Hortense du *Petit-Maître* se donne pour but d'amener Rosimond à se reconnaître amoureux, à le dire, à adopter le langage du cœur; les valets des *Serments indiscrets* n'ont pas d'autre tâche que d'induire leurs maîtres à se déclarer un amour qu'ils ont juré de se taire; le Lucidor de l'*Epreuve*, spectateur passionné parce qu'il est à la fois amant et guetteur, attend l'aveu d'Angélique qu'il regarde se débattre entre le oui et le non. La conscience spectatrice ne se borne pas à surprendre les « hasards » qu'elle épie, il lui arrive aussi, comme à tout auteur, même s'il est Marivaux, de « composer », d'orienter la marche trop hésitante du cœur mis en observation.

De ce point de vue, toute pièce de Marivaux pourrait se définir : un organisme à double palier dont les deux plans se rapprochent graduellement jusqu'à leur complète jonction. La pièce est finie quand les deux paliers se confondent, c'est-à-dire quand le groupe des héros regardés se voit comme les voyaient les personnages spectateurs. Le dénouement réel, ce n'est pas le mariage qu'on nous promet au baisser du rideau, c'est la rencontre du cœur et du regard.

Les relations entre les deux groupes de personnages ne s'arrêtent pas là. On a vu que les acteurs témoins sont le plus souvent le couple valet-soubrette; or ce couple est toujours amoureux, à l'exacte image du couple des héros, suivant une vieille tradition de la comédie italienne; il reproduit à son niveau la situation et l'évolution de l'amour des maîtres; mais, chez Marivaux, il la figure à l'avance, il l'annonce. Dans les *Sincères*, Lisette et Frontin se rapprochent puis se brouillent et retournent à leurs premières amours comme feront, après eux, les héros; dans les *Serments indiscrets*, les scènes II, 3, où Lisette et Frontin se font promesse de froideur, et III, 5, où ils constatent leur échec et se résignent à s'aimer, sont le reflet des scènes plus fouillées où les maîtres développent les mêmes mouvements. Les scènes des valets sont des scènes d'anticipation. Elles donnent toujours à l'avance la courbe que suivront les héros, mais elles n'en donnent qu'un schéma très simplifié et fortement accéléré. Un duo valet-soubrette n'est jamais là pour lui-même, et il n'est pas là seulement pour donner une version un peu grotesque de ce qui se passe et se dit à l'étage des maîtres, comme c'est le cas dans beaucoup de comédies du XVIIe siècle; il est là comme l'ombre qui précède le corps : le prochain duo entre les héros. Il est un élément de structure. De la sorte, nous sommes invités à suivre le développement de la pièce sur les deux registres, qui nous en proposent deux courbes parallèles, mais décalées, mais différentes par leur importance, leur langage et leur fonction : l'une rapidement esquissée, l'autre dessinée dans toute sa complexité, la première laissant deviner la direction que prendra la seconde, qui en donne l'écho en profondeur et le sens définitif. Ce jeu de reflets intérieurs contribue à assurer à la pièce de Marivaux sa rigoureuse et souple géométrie, en même temps qu'il relie étroitement les deux registres jusque dans les mouvements de l'amour.

Troisième forme de communication entre les deux paliers : le spectacle que les héros donnent aux acteurs témoins, introduisant ainsi subtilement et sans le dire une légère comédie dans la comédie. Les amoureux se comportent à chaque instant en acteurs sans le savoir, et quelquefois le sachant; ils jouent sous les yeux du groupe spectateur une pièce en filigrane que ces spectateurs aux yeux aigus suivent et commentent. La Comtesse de la *Surprise,* en héroïne qui se croit spectatrice — car il leur arrive de se méprendre sur leur appartenance —, lance à Lelio : « Vous m'allez donner la comédie », mais Colombine rectifie justement : « En ma conscience, vous me la donnez tous les deux, la comédie... » Propos qu'on pourrait étendre aux acteurs témoins de toutes les pièces de Marivaux. « Ils se donnent la comédie », constate Silvia, parlant de son père et de son frère qui représentent, dans le *Jeu de l'amour et du hasard*, le groupe des spectateurs.

De fait, au fond des scènes d'aveu qui dominent ce théâtre, il y a toujours un peu de comédie et de jeu, qu'on joue à soi-même en même temps qu'au partenaire, un jeu où se rencontrent la connaissance et l'ignorance, le camouflage inconscient et la conscience du camouflage : « Quand tu l'aurais (mon cœur), tu ne le saurais pas; et je ferais si bien que je ne le saurais pas moi-même », dit Silvia à Dorante, dans le *Jeu de l'amour et du hasard* (II, 9). Chaque pièce, chaque scène d'aveu combine différemment ces alliages microscopiques : savoir, ne pas savoir, savoir qu'on ne sait pas, dérober qu'on sait et cacher qu'on le dérobe... L'Araminte des *Fausses Confidences*, pour garder auprès d'elle l'intendant amoureux qu'elle aime ou va aimer sans se l'avouer, ne cesse de se donner des raisons qui sont autant de petits mensonges, mais mensonges de bonne foi, où se glisse pourtant une pointe de mauvaise foi; ce sont les mélanges indiscernables de la simulation et de la sincérité, de la méprise et de la duperie; c'est toujours, plus ou moins, une comédie que le cœur se joue et nous joue. C'est la comédie des amoureux, des tendres, de ceux que le cœur mène — où ils veulent aller, tout en disant qu'ils ne le veulent pas.

Je ne parle pas ici des personnages de l'autre groupe, qui eux, quand ils jouent un rôle, le font en toute conscience, et en vue de précipiter les aveux qu'ils attendent. Ces stratagèmes, ces feintes, ces mascarades sont le pain quotidien de tout le théâtre qui se rattache à la commedia dell'arte, et plus généralement encore de tout le théâtre baroque du XVIIe siècle. C'est aussi un trait du théâtre de Marivaux, et qui a frappé à juste titre Jouvet. Certes Marivaux a de l'homme et de la vie en société une vue théâtrale : dès les écrits de jeunesse, le personnage dominant du lecteur jouant ses lectures était déjà une forme d'illusion et de comédie; les *Feuilles* périodiques de leur côté abondent en pages qui révèlent en l'homme un comédien : la coquette

« joue toutes les tendresses » et fait parade de ses « mines »; l'homme de qualité qui vous traite familièrement n'est qu'un « acteur » qui « pousse l'orgueil jusqu'à vouloir contrefaire le modeste »; du reste, le monde est plein de gens qui « croient être modestes et qui le croient de bonne foi » (IX, p. 620, 391, 511); non seulement on fait semblant, mais, comme le dit un personnage des *Acteurs de bonne foi,* il y en a qui « font semblant de faire semblant ». Il y a tant de contrefaçons, tant de masques sur les visages qu'on court à chaque pas le risque d'être dupe, si l'on ne détient pas l'instrument de démasquage dont nous parle l'apologue du *Monde vrai* (X, p. 19 ss) : un regard qui sait « percer au travers du masque » dont les hommes se couvrent, et déchiffrer, à travers ce qu'ils disent, ce qu'ils pensent; car le masque par excellence, c'est la parole. Ce pouvoir de démasquage par traduction, le *Spectateur français* met sa fierté à l'exercer en toute occasion : « je vis... que j'avais très savamment *entendu la langue* que parle l'amour-propre dans une jolie femme qui en peint une autre »; quant aux jeunes gens à la mode, « *je les interprétais* » [12].

Si cette vue théâtrale de l'homme n'était pas alors particulière à Marivaux, les conséquences qu'il en tire l'étaient davantage. Mais ce qui doit nous intéresser ici, c'est l'application qu'il en fait à sa structure dramatique.

Ce regard qui « perce au travers du masque », ce pouvoir de démêler et de déchiffrer, Marivaux en dote largement ses personnages spectateurs; il en fait des témoins démasquants de la comédie à-demi consciente que ne cessent de se jouer les héros amoureux; on les voit interpréter les énigmes du sentiment, soulever les voiles sous lesquels le cœur se dupe, traduire en clair les signes mensongers des passions qui se donnent le change. La Carise de la *Dispute* rectifie les petits sophismes de l'inconstante qui ne veut pas s'avouer son inconstance; le Baron de la *Surprise* reconnaît un duo

(12) *Spectateur français,* 3e et 8e feuille.

d'amour là où les amoureux ne voient qu'indifférence hostile; le Trivelin de la *Fausse Suivante* lit la langue secrète de l'amour naissant: « Tenez, je n'ai qu'à regarder une femme entre deux yeux, je vous dirai ce qu'elle sent et ce qu'elle sentira, le tout à une virgule près. Tout ce qui se passe dans son cœur s'écrit sur son visage, et j'ai tant étudié cette écriture-là, que je la lis tout aussi couramment que la mienne. Par exemple, tantôt, pendant que vous vous amusiez dans le jardin à cueillir des fleurs pour la Comtesse, je raccommodais près d'elle une palissade, et je voyais le Chevalier, sautillant, rire et folâtrer avec elle. Que vous êtes badin ! lui disait-elle, en souriant négligemment à ses enjouements. Tout autre que moi n'aurait rien remarqué dans ce sourire-là; *c'était un chiffre*. Savez-vous ce qu'il *signifiait ?* Que vous m'amusez agréablement, Chevalier ! Que vous êtes aimable dans vos façons ! Ne sentez-vous pas que vous me plaisez ? » (II, 3.) Toute la suite de cette scène de traduction n'est pas moins remarquable, où ce parfait spectateur, caché derrière sa palissade, regarde un manège d'amoureux et en interprète le langage chiffré : « Et moi, tout en raccommodant ma palissade, j'expliquais ce Vous n'y songez pas ! et ce Laissez-moi donc ! et je voyais que *cela voulait dire :* Courage, Chevalier, encore un baiser sur le même ton, etc... »; et parce qu'il a été question de tout sauf d'amour, il conclut : « J'ai vu l'amour naissant. » Ce Trivelin caché derrière une haie, guettant et interprétant, il a l'attitude et les pouvoirs de l'auteur du *Pharsamon,* ou du narrateur des *Lettres* surprenant la conversation des deux jeunes femmes, ou de Jacob dans la maison de Madame Rémy, ou de tous les personnages témoins de ce théâtre. Qu'on pense encore à la soubrette de l'*Ile des esclaves* se vantant de ses talents de déchiffreuse : « *J'entendais tout cela,* moi, car nous autres esclaves, nous sommes doués contre nos maîtres d'une pénétration !... » La pénétration des acteurs témoins, qui tous pourraient dire ce que dit à Lelio la Colombine de la *Surprise :* « Vous vous croyez leste et gaillard, vous n'êtes point cela; *ce que vous êtes est caché der-*

rière tout cela. » (II, 4.) Véritable mot-clé : ceux qui aiment sont cachés à eux-mêmes derrière une série d'écrans qui les trompent, ils ne savent pas où est leur vérité; ils mentent et croient dire vrai. Mais les autres, qui les regardent et les pénètrent, voient ce qu'ils sont derrière ce qu'ils font voir. C'est pourquoi la rencontre de ces spectateurs démasquants et de ces amants qui se cachent leur amour donne lieu à des scènes de déchiffrage ou de traduction qui forment, dans l'économie de la pièce, un des ponts jetés entre les deux groupes de personnages.

Les uns parlent le langage du cœur ; il est obscur et masqué à leurs propres yeux ; car le cœur marivaudien les mène, et « on ne sait point où cela mène », écrit Marianne de l'amour au moment où il s'empare d'elle, « ce sont des *mouvements inconnus* qui l'enveloppent » « Je me perds de vue », dit l'héroïne des *Serments indiscrets*, et celle de la *Seconde Surprise :* « Je ne saurais me démêler », car les mouvements du cœur sont faits d' « impressions imperceptibles » qui se développent à notre insu, et nous donnent le change. Un héros de Marivaux est toujours devant son propre cœur dans l'illusion ou la stupeur. « Je rêve à moi et je n'y entends rien », avoue la Silvia de la *Double Inconstance*.

Mais ces « mouvements inconnus » sont clairs aux yeux des personnages témoins, qui les observent à l'écart et en traduisent le langage couvert, comme Marianne narratrice interprète Marianne amoureuse. Ce que la perspective du passé rendait possible dans le roman, le théâtre, qui ne se déroule que dans le présent, l'obtient en dédoublant sur deux groupes simultanés mais distincts les fonctions du cœur comédien et de la conscience traductrice.

Celle-ci, ici encore, a son rôle à jouer dans le mouvement de la pièce. Une progression dans l'aveu, disions-nous. Mais si la progression est tellement lente et entravée, c'est justement parce que les héros de Marivaux sont toujours dupes de leur cœur et qu'ils ont « la vue trouble ». Aussi la fonction des personnages regardants sera-t-elle de les aider à ouvrir les yeux sur eux-mêmes et à voir clair dans l'imbroglio de leurs états sensibles. Chez Marivaux, la croissance de l'amour est liée à la connaissance que l'amour prend de lui-même ; il a besoin pour croître du langage, donc de l'aveu. C'est ce que Colombine n'ignore pas : « J'ai dessein de la faire parler ; je veux qu'elle sache qu'elle aime ; son amour en ira mieux, quand elle se l'avouera » [13].

Telle est la part d'action qui est permise aux personnages témoins : faire parler. Sur quoi ils regagnent leur passivité spectatrice, pour suivre les cheminements imperceptibles de l'amour vers l'aveu, vers la clarté.

L'auteur qu'est Marivaux ne procède pas autrement : surprenant des « hasards » et n'intervenant que pour mettre face à face, dans les meilleures conditions, des héros qui semblent improviser à tâtons la découverte de leur secret.

* * *

Le fait de structure ainsi dégagé : le double registre, apparaît comme une constante. Il soutient les romans aussi bien que les pièces de théâtre. Il répond en même temps à la connaissance que l'homme marivaudien a de lui-même : un « cœur » sans regard, pris dans le champ d'une conscience qui n'est que regard. Le regard appelle ici la figure du miroir, si familière à Marivaux : le regard qui renvoie à soi-même. Dans le jeu interne de l'être, il y a aussi un regardant et un regardé, mais c'est un spectateur de soi. « Dans tout le cours de mes aventures, j'ai été mon propre spectateur, comme le spectateur des autres » [14].

Marivaux construit ses pièces et ses romans comme il conçoit son moraliste imaginaire.

(13) *Surprise,* III, 1.
(14) IX, p. 247.

UNE FORME LITTERAIRE : LE ROMAN PAR LETTRES

Pour qui prétend saisir des significations à travers des formes, un tel sujet peut sembler à la fois futile et privilégié. Futile, parce qu'il embrasse une forme apparemment anonyme, une facture qui serait à tout le monde et à personne, une technique dont les auteurs hériteraient sans avoir à la créer ; mais sujet privilégié aussi, car il permet de suivre la vie d'une forme, les variations d'un organe. Sur un parcours jalonné d'œuvres importantes, en France et à l'étranger, on a tout loisir d'observer les mille rencontres d'un artiste et d'une technique, et les mutations qui en résultent quand l'invention, sollicitée par la structure reçue, la modifie à son tour. Les renouvellements apportés à un mode de présentation peuvent ouvrir de nouvelles voies à l'exploration de l'esprit ou révéler un nouvel univers romanesque.

Un essai sur la littérature épistolaire porte en fait sur un aspect de l'art du roman à l'époque où celui-ci se cherche et se constitue, au seuil de l'âge moderne : de la fin du XVIIe siècle au début du XIXe, et particulièrement durant le XVIIIe, où il foisonne. Il représente alors un moyen de création neuf et fécond entre les mains d'écrivains innombrables, parmi lesquels se détachent Richardson, Smollett, Goethe, Foscolo et en France Montesquieu, Crébillon fils, Rousseau, Restif, Laclos, Mme de Staël, Senancour, Gautier, Balzac. Balzac, qui publie le dernier grand roman par lettres, constate aussi le décès du genre lorsqu'il écrit, en 1840, que « ce mode si vrai de la pensée sur lequel ont reposé la plupart des fictions littéraires du XVIIIe siècle » est devenu « chose assez inusitée depuis bientôt quarante ans » [1].

I. — L'instrument épistolaire.

Ce que je voudrais tenter, avant d'en venir à quelques applications particulières, c'est une morphologie générale. Il s'agit de considérer la forme en elle-même, d'en dégager les caractères propres, de définir les modifications dont elle est susceptible ; autant de traitements, autant de significations.

Montesquieu va me servir d'introducteur. Dans ses *Réflexions* pour la réédition de 1754 des *Lettres persanes*, cet auteur d'un des premiers romans par lettres à personnages multiples esquisse une explication des vertus de la formule, à une époque où elle s'est beaucoup

(1) BALZAC, *Préface des Mémoires de deux jeunes mariées* (1842).

Il y aurait un livre à faire sur le roman par lettres dans les littératures française et européenne; la bibliographie du sujet n'est pour l'instant que fragmentaire, et de provenance américaine. La préhistoire du genre a été l'objet d'une bonne thèse de Ch. KANY, *The Beginnings of the Epistolary Novel in France, Italy and Spain*, University of California Press, 1937 (couvre la période allant de l'Antiquité à la fin du XVIIe siècle).

Le travail de G.F. SINGER, *The epistolary novel, Its origin, development, decline and residuary influence*, University of Pennsylvania Press, 1933, n'est qu'un inventaire assez superficiel, d'ailleurs incomplet et parfois fautif. L'intéressante et solide étude de F.G. BLACK, *The epistolary novel in the late eighteenth century, A descriptive and bibliographical study*, University of Oregon Press, 1940, ne concerne que la littérature anglaise de la fin du XVIIIe siècle, de 1780 à 1800. Enfin, A. Pizzorusso a consacré à la naissance du roman épistolaire en France à la fin du XVIIe siècle quelques pages informées et suggestives : *La concezione dell'arte narrativa nella seconda metà del seicento francese*, p. 125-134, dans « Studi mediolatini e volgari », p.p. Institut de philologie romane de l'Université de Pise, chez Palmaverde, Bologne, 1955.

C'est pourquoi je donne en appendice non pas le large inventaire souhaitable, mais la liste des romans par lettres que j'ai lus en vue du présent essai, où il ne sera du reste fait état que d'une partie d'entre eux.

En négligeant la préhistoire, qui remonte aux *Héroïdes* d'Ovide — dont le XVIIIe siècle donnera de nombreuses traductions et adaptations — et à quelques romans isolés du Moyen Age (cf. KANY, *op.*

développée depuis 1721, date de parution de son livre : « Ces sortes de romans réussissent ordinairement parce que l'on rend compte soi-même de sa situation actuelle, ce qui fait plus sentir les passions que tous les récits qu'on en pourrait faire. Et c'est une des causes du succès de quelques ouvrages charmants qui ont paru depuis les *Lettres persanes* » [2]. Aux yeux de Montesquieu, la narration à la 3e personne est désavantagée, dès qu'on prétend faire « sentir les passions » plutôt que provoquer à la réflexion sur les passions ; le roman épistolaire rapproche le lecteur du sentiment vécu, tel qu'il est vécu. « On rend compte soi-même de sa situation actuelle », en d'autres termes : on s'y exprime à la 1re personne et au présent ; double aspect formel dont les virtualités infinies ne sont pas épuisées aujourd'hui ; le XVIIIe siècle est le premier à les pressentir et à les mettre largement en exploitation.

Dans le roman par lettres — comme au théâtre —, les personnages disent leur vie en même temps qu'ils la vivent ; le lecteur est rendu contemporain de l'action, il la vit dans le moment même où elle est vécue et écrite par le personnage; car celui-ci, à la différence cette fois du héros de théâtre, écrit ce qu'il est en train

---

cit.), on peut dire que l'histoire de la forme commence au XVIIe siècle; les grands romans de l'époque, *Astrée, Clélie,* etc..., fourmillent de lettres, souvent importantes, mais toujours insérées dans un texte narratif; ce ne sont pas des romans par lettres, c'en est tout au plus une phase préparatoire. L'année décisive, qui va ouvrir la voie en France à la longue histoire du genre, c'est l'année 1669 où paraissent deux ouvrages, très différents de facture, de qualité et de destinée, mais tous deux neufs et riches d'avenir : les *Lettres à Babet* de Boursault, où deux correspondants de la petite bourgeoisie parisienne échangent des messages amoureux, et les *Lettres portugaises* qu'on est de plus en plus porté de nos jours à tenir pour l'œuvre d'un romancier. Avec le succès des *Lettres portugaises,* avec leurs nombreuses *Suites* qui donnaient les réponses apocryphes du gentilhomme et composaient un véritable roman épistolaire à deux voix, puis avec la publication, vers la fin du siècle, par Bussy-Rabutin et ses imitateurs, de libres adaptations de la correspondance d'Héloïse et d'Abélard, la carrière française et européenne du roman par lettres au XVIIIe siècle est ouverte.

(2) MONTESQUIEU, *Œuvres complètes,* éd. R. Caillois, Bibl. de la Pléiade, Paris, 1949, T. I, p. 129. Les « ouvrages charmants » auxquels Montesquieu pense sont *Pamela* de Richardson et les *Lettres péruviennes* de Mme de Graffigny.

de vivre et vit ce qu'il écrit ; plus complètement qu'au théâtre, il se substitue à l'auteur et l'évince, puisqu'il est lui-même l'écrivain ; personne ne parle ni ne pense à sa place, c'est lui qui tient la plume.

Cette prise immédiate sur la réalité présente, saisie à chaud, permet à la vie de s'éprouver et de s'exprimer dans ses fluctuations, au fur et à mesure des oscillations ou des développements du sentiment. Cet avantage de la nouvelle forme a été aussitôt compris et magistralement utilisé par l'auteur des *Lettres portugaises*. Un peu plus tard, Boursault dit clairement ce qu'il attend d'un roman épistolaire : « On y verra la naissance, le progrès, la violence et la fin d'un amour qui a duré plus de quinze ans... » ; et il peut faire dire à son héroïne : « Je vous aime plus que je ne vous aimais il y a un moment ; et dans un moment je vous aimerai plus encore que je ne vous aime... », il y a « une si grande différence de ce que je suis aujourd'hui à ce que j'étais il y a deux jours » [3].

Cette vertu de la lettre est soulignée par la plupart des épistoliers. « Une lettre, dit Dorat, de tous les genres d'écrire, est le plus vrai, le plus rapproché de l'entretien ordinaire, et le plus propre surtout au développement de la sensibilité », c'est « un genre intéressant, qui donne à l'âme toutes les émotions dont elle est susceptible, peint tour à tour l'abattement de la douleur ou l'ivresse du plaisir... » [4] ; et une héroïne de Mme Riccoboni : « J'écris vite, je ne saurais rêver à ce que je veux dire ; ma plume court, elle suit ma fantaisie ; mon style est tendre quelquefois, tantôt badin, tantôt grave, triste même, souvent ennuyeux, toujours vrai » [5]. La suite épistolaire est conçue comme un instrument privilégié pour appréhender ce qui retiendra très particulièrement l'attention du XVIIIe siècle : l'éveil et les vibrations de la sensibilité, les caprices de l'émotion.

---

(3) BOURSAULT, *Treize lettres amoureuses,* dans *Lettres Nouvelles,* Paris, 1699-1700, T. II, pp. 347, 418, 421.
Cf. A. PIZZORUSSO, *op. cit.*, p. 133-4.

(4) *Œuvres,* éd. 1776, T. I, p. 100 et 117.

(5) *Lettres de Mrs Fanny Butlerd,* lettre 77.

Le sensible Danceny de Laclos oppose la plasticité de la lettre au portrait peint, trop immobile : « Mais une lettre est le *portrait de l'âme*. Elle n'a pas, comme une froide image, cette stagnance si éloignée de l'amour ; *elle se prête à tous nos mouvements : tour à tour* elle s'anime, elle jouit, elle se repose... » (lettre 150).

Ce n'est pas seulement la lettre isolée, c'est le mouvement des lettres successives qui peut exprimer un comportement sensible. Les diverses lettres d'un même personnage représenteront la courbe de sa vie intérieure, à la manière d'une suite d'instantanés. La courbe sera plus ou moins animée selon le caractère et le moment, calme ou inquiet, d'une destinée. La courbe d'un Saint-Preux, par exemple, est des plus accidentées, ce ne sont que dents de scie ; elle compose un portrait en mouvement, enregistrant les inégalités, les renversements d'humeur. Il s'agit principalement des lettres de la première et de la seconde Partie du roman, tour à tour exaltées ou déprimées, anxieuses ou comblées.. Leur succession suffit à peindre ce délire qu'est la passion, fait de transports et de désespoirs.

Rien n'illustre mieux la différence de la vision actuelle et du regard rétrospectif que le rapprochement de ces premières lettres de Saint-Preux avec une lettre beaucoup plus tardive du même Saint-Preux, la 6e de la IIIe Partie. C'est le moment où il va se séparer définitivement de Julie. Il se reporte vers le passé, pour en faire un paradis perdu, un bonheur immuable et stable : « Jours de plaisir et de gloire... Une douce extase absorbait toute votre durée, et la rassemblait en un point comme celle de l'éternité. Il n'y avait pour moi ni passé ni avenir, et je goûtais à la fois les délices de mille siècles.» Métamorphose opérée par le souvenir : ce qui était, au témoignage de ses lettres captant le présent sur le vif, une durée inégale et nerveuse faite de jours tous différents s'est transformé en un éternel présent sans « passé ni avenir », la succession des moments est devenue une extase intemporelle.

A cette perception des différences entre des points

très proches de la durée, vient s'ajouter une note importante, impliquée dans toute écriture au présent : auteur et personnage vivent au jour le jour une destinée ouverte dont l'achèvement leur est inconnu ; ils connaissent leur passé, ils ignorent leur avenir ; leur présent est un vrai présent, une vie en train de se faire, une volonté ou une attente, un espoir ou une crainte tournés vers le lendemain encore informe. De cette situation l'auteur devra tenir compte, obligé qu'il est de se restreindre à la perspective de son personnage écrivant ; on ne raconte pas de la même manière un présent tâtonnant et un présent qui a déjà choisi sa voie. L'abbé Prévost en fait souvent la remarque : son héros connaît au moment où il raconte ce qu'il ne connaissait pas lorsqu'il vivait l'épisode raconté, il comprend maintenant ce qui lui était obscur alors, et il fait bénéficier son lecteur d'une lumière refusée à son héros ; mais Prévost compose des romans-mémoires, nécessairement écrits au passé ; le roman écrit au présent exclut ce décalage entre le héros vivant son histoire et le même héros la racontant, il réduit son lecteur à son ignorance réelle. A cet égard, le roman par lettres, en s'opposant aux mémoires fictifs, se rapproche du journal, va parfois jusqu'à se confondre avec lui : il y a des suites de lettres qui sont autant de fragments d'un journal intime ; c'est le cas des *Lettres de Milady Catesby* de Mme Riccoboni et de leur modèle, *Pamela.* C'est toutefois à la fin du XVIIIe siècle et à l'époque romantique que cette confusion se généralisera, avec l'abondante postérité de *Werther*. On lit alors des séries ininterrompues de lettres d'un héros unique et solitaire à un ami qui n'est qu'un fantôme, ou une simple boîte aux lettres. Le Wilhelm de Goethe et ses analogues ne sont pas des personnages du roman, ils sont hors du champ. Le roman par lettres n'est plus qu'un journal camouflé, la forme épistolaire ne garde plus que les apparences ; en réalité, elle se modifie gravement et va vers son extinction. C'est sur ce nouveau modèle que sont construits les romans de Mme de Charrière, de Mme de Krudener, de Mme de Souza, l'*Obermann* de Senancour, l'*Adèle* de Nodier ou les *Ultime lettere di Jacopo Ortiz* de Foscolo.

Toute lettre, mais surtout celle de ce type, a la vertu du journal, de l'écriture au présent : une sorte de myopie, une attention extrême, voire grossissante, accordée aux événements imperceptibles, à tout ce qui n'a pas d'importance pour le regard lointain de la vision rétrospective ; « ... je croirais ne vous rien dire, si je ne vous disais pas tout. Ce sont de petites choses qui m'affligent ou m'impatientent, et me font avoir tort. Ecoutez donc encore un tas de petites choses » [6]. C'est ainsi qu'une héroïne de Mme de Charrière commence une de ses lettres ; les « petites choses » peuvent avoir de grandes conséquences, ce sont elles qui détruisent sourdement le bonheur conjugal de Mrs Henley; il y a des drames qui demeurent incompréhensibles pour qui les regarde de loin. La lettre-journal permet de faire voir ce qu'on ne regarde pas : « j'ai voulu seulement montrer, dans la vie, ce qu'on n'y regarde pas,... tracer ces détails fugitifs qui occupent l'espace entre les événements de la vie. Des jours, des années, dont le souvenir est effacé, ont été remplis d'émotions, de sentimens, de petits intérêts, de nuances fines et délicates..., c'est la suite de ces *sentimens journaliers* qui forme essentiellement le fond de la vie. Ce sont ces ressorts que j'ai tâché de démêler » [7]. Mais il faut le regard du présent pour donner tout son relief à ce qu'effacera le souvenir.

Le roman du XXe siècle a ce trait commun avec la forme épistolaire, qu'il immerge personnages et lecteurs dans un présent en train de se faire et refuse à l'auteur le point de vue panoramique du témoin omniscient. Mais il ne recourt qu'exceptionnellement à la lettre ; il la remplace par le journal proprement dit ou par le monologue intérieur, espèce de journal non écrit, antérieur même à la parole articulée. Si cette tendance extrême n'est pas concevable au XVIIIe siècle, elle s'ébauche toutefois dans certains romans par lettres ou dans

(6) *Mistriss Henley*. Quatrième lettre.
(7) Mme DE SOUZA, Avant-propos d'*Adèle de Senange* (1794).

les formes intermédiaires entre le dialogue et le monologue essayées par Sterne et Diderot.

Le XVIIIe siècle ne cède que sporadiquement à la pente qui conduit la lettre vers le journal intime et le pur monologue où l'on se raconte à soi seul, où l'on s'explore devant soi-même. Il fait très large en revanche la part du dialogue, il exploite au maximum une autre intention de la lettre : elle se dirige vers un destinataire, elle s'adresse à quelqu'un, elle est un moyen d'action ; dans la lettre, on se raconte et on s'explore, mais devant autrui et pour autrui. Même les chefs-d'œuvre du roman épistolaire à une seule voix, les *Lettres portugaises,* les *Lettres de la Marquise* de Crébillon, sont très loin d'être des journaux intimes, car le destinataire absent y est présent de tout son poids, la correspondance entière est suspendue à son comportement invisible ; ce personnage silencieux n'est pas un figurant, il est un personnage du roman. Cette présence constante du destinataire à l'horizon change le monologue en dialogue, la confession en action, et modifie profondément la conscience que l'on prend de soi-même aussi bien que la manière dont on se communique.

Mémoires, journaux ou romans par lettres, ces partis ont tous en commun le trait noté par Montesquieu : on rend compte *soi-même* de sa situation ; on est donc conduit à l'emploi de la première personne ; et voilà que la conjugaison de tous les verbes va s'en trouver affectée, ce qui n'est pas sans entraîner d'importantes conséquences. Ainsi que le fait remarquer Michel Butor, le choix de la première ou de la troisième personne dans le récit n'est nullement indifférent : « ce n'est pas tout à fait la même chose qui nous est racontée dans l'un et l'autre cas,... et notre situation de lecteur par rapport à ce qu'on nous dit en est transformée » [8]. Balzac l'avait déjà noté, qui, bien qu'employant le plus souvent la troisième personne, nous offre plusieurs exemples de la première ; on pourrait distinguer au

(8) « L'usage des pronoms personnels dans le roman », *Temps modernes,* février 1961, p. 936.

moins trois espèces de *je* dans la *Comédie humaine*, ce *je* qui permet de *sonder profondément le cœur humain;* ainsi s'exprime Balzac dans la préface de son grand roman de forme autobiographique, le *Lys dans la vallée*. Et Stendhal, au début de la *Vie d'Henry Brulard*, où il va parler de lui-même, hésite devant « cette effroyable quantité de *Je* et de *Moi* », mais il s'y résout : « On pourrait écrire, il est vrai, en se servant de la troisième personne, *il* fit, *il* dit. Oui, mais comment rendre compte des mouvements intérieurs de l'âme ? » Pour Stendhal comme pour Balzac, la première personne est un outil perfectionné d'analyse intérieure. Cette considération vaut sans doute également pour le XVIIIe siècle. Mais est-elle entièrement satisfaisante ? Assurément, il y a gain de vérité, de connaissance immédiate de soi ; pour bien faire l'expérience des mouvements intérieurs et pour la relater au plus près, nul n'est mieux placé que le sujet lui-même ; celui qui parle ici, ce n'est pas une troisième personne plus ou moins lointaine et dégagée, c'est celui-là même qui vit et éprouve ce dont il parle. Ce raisonnement serait probablement admis par les analystes du XVIIIe siècle. Mais suffit-il à justifier l'exceptionnelle extension de la première personne dans le roman de cette époque ? Qu'il s'agisse de romans-mémoires ou de romans par lettres, presque tous les romanciers du XVIIIe siècle y recourent, et le plus souvent n'en utilisent pas d'autres : Le Sage, Marivaux, Crébillon, Prévost, Diderot, Rousseau, Laclos, et en Angleterre Defoe, Richardson, Sterne..., pour ne citer que les plus grands. Il y a là un fait remarquable, aisé à constater, plus difficile à expliquer. Peut-être Montesquieu, lui encore, nous met-il sur la voie quand il écrit, toujours dans les mêmes *Réflexions* de 1754 sur les *Lettres persanes* : « ...l'agrément consistait dans le contraste éternel entre les choses réelles et la manière singulière, neuve ou bizarre, dont elles étaient aperçues ». Or, admettre une disparité entre le réel et l'image que s'en font les personnages, c'est reconnaître l'existence d'autant de visions qu'il y a de regards, d'autant de réalités qu'il y a d'expériences ; c'est ouvrir le roman à l'expérience subjective. Rien ne s'y prêtait mieux alors que la récente conquête de la première personne comme instrument du récit, puisque l'emploi de la première personne impose l'adoption d'un point de vue, celui du personnage. Cet emploi entraînait au surplus la multiplication des points de vue par le nombre des personnages engagés : diversité et relativité des expériences consignées. Dans le roman par lettres, dès qu'il renonce au soliste pour des combinaisons plus complexes, chacun voit de son point de vue et selon son caractère propre; autant d'angles visuels que de personnages.

J'ai parlé de récit, mais ne vaut-il pas mieux renoncer à ce terme ? Où est le récit dans la *Nouvelle Héloïse*, dans les *Liaisons dangereuses ?* Il semble qu'avec l'avénement de la forme épistolaire, le romancier, pour la première fois dans l'histoire du roman, renonce au récit; il ne raconte plus, ni ne fait raconter par ses personnages; il se libère de l'histoire conçue comme suite d'événements dont les êtres sont agents ou victimes. Ici, l'événement, ce sont les paroles mêmes et l'effet à produire au moyen de ces paroles; c'est la manière dont elles sont dites, puis lues et interprétées; l'événement, c'est encore l'échange et la disposition des lettres, l'ordre donné aux pièces du dossier. L'instrument du récit l'emporte sur le récit. De la sorte, l'auteur, qui semble disparaître puisqu'il ne raconte plus, puisqu'il laisse tout dire aux personnages, l'auteur prend sa revanche comme ordonnateur et compositeur; s'il s'efface comme écrivain et narrateur, il apparaît en pleine lumière comme auteur au sens fort du terme, comme celui qui fait le livre, qui lui donne sa forme et son ordonnance; cette ordonnance n'est plus dépendante du récit et de l'ordre logique des événements; le romancier cesse d'être un narrateur apparemment assujetti aux faits qu'il raconte pour être promu auteur, c'est-à-dire maître de l'œuvre.

Ce qui est nouveau en effet, ce sont les possibilités et les libertés que la forme épistolaire offre, et même impose au romancier; ce qu'elle lui impose, avant toute chose, c'est un problème de présentation à résoudre :

il a entre les mains un jeu de lettres auquel il s'agit de donner un certain ordre; des lettres, déjà faites ou à faire, des fragments d'un ensemble en voie d'organisation, des parties du roman, qui peuvent se disposer de diverses manières; il a à choisir l'une ou l'autre des ordonnances possibles de son jeu de lettres; le romancier se voit obligé, bien plus qu'il ne l'avait été jusqu'alors, de prendre conscience du problème de la composition romanesque. Ce sera, à un degré supérieur, le cas de Laclos, que l'étude des manuscrits montre procédant à des déplacements et interversions de lettres.

Mais il faut remarquer que plus ces opérations d'auteur sont manifestes, plus l'auteur se croit tenu de porter le masque. C'est qu'il se heurte à une exigence impérieuse à l'époque : l'exigence anti-romanesque, l'obligation de présenter non pas une fiction, mais des documents, des témoignages directs du réel. Le romancier a mauvaise conscience au XVIIIe siècle, le roman prétend toujours ne pas être un roman; il n'invente rien, il présente du réel à l'état brut. Ce discrédit du « roman », à une époque où on en publie tant, se rattache à la tendance, perceptible depuis le milieu du XVIIe siècle, à constituer le roman contre le romanesque, contre l'arbitraire d'une imagination qui invente indiscrètement. Ce n'est ni la première ni la dernière fois que le roman se constitue critiquement contre un certain roman antérieur.

Ce fut un des titres de la forme épistolaire aux yeux des romanciers et du public : comme les romans-mémoires de Marivaux, de Prévost, de Diderot, le roman par lettres se présente en document, émanant non pas d'un romancier, mais de personnages réels ayant vécu et écrit. C'est la fiction du non-fictif; on a trouvé une liasse de lettres, et on publie ce qu'on a trouvé; Montesquieu veut n'être que le « traducteur » des missives de ses amis persans, la *Nouvelle Héloïse* rassemble les « Lettres de deux amants, recueillies et publiées par J.-J. Rousseau », Laclos se donne pour le « rédacteur » chargé de « mettre en ordre » une correspondance venue entre ses mains et Gœthe annonce : « Je vous présente tout ce que j'ai pu recueillir de l'histoire du pauvre Werther ». Bref, il n'y a plus d'auteur, il n'y a qu'un éditeur, un collaborateur à peu près passif, qui n'a rien écrit, qui se borne à « recueillir » ce que d'autres ont écrit et qui peut conclure, comme le font explicitement Crébillon ou Rousseau : « ce livre-ci n'est pas un roman », il est l'œuvre de la seule réalité. Pour abolir le romanesque et l'imaginaire, on met l'œuvre entre parenthèses, on feint de supprimer le romancier, on l'oblige à se dissimuler derrière la réalité; ainsi que le déclare franchement Crébillon : « jamais, dans les livres du genre de celui-ci, l'auteur ne se décèle, que l'intérêt n'y perde considérablement » (Préface aux *Lettres de la Duchesse de* ***). Bien entendu, c'est par fiction qu'on exclut le fictif, et c'est pour mieux apparaître que le romancier se dissimule; ce n'est de sa part qu'une habileté de plus : il feint de s'abstenir pour opérer plus sûrement, il s'efface devant la réalité pour inventer une nouvelle réalité. Et le lecteur le sait bien, tout le monde le sait, mais il y a toujours dans la lecture, sous une forme variable, un consentement à l'illusion.

***

II. — Formes épistolaires.

Au long d'une existence d'un peu plus d'un siècle, la forme épistolaire se développe dans plusieurs directions, essaye diverses variantes, s'enrichit et se perfectionne, pour se dissoudre finalement dans le journal intime. On peut dire que le développement chronologique correspond, en gros, à l'évolution, non pas du moins bon au meilleur, mais du simple au complexe, de la voix soliste aux grandes organisations symphoniques.

D'abord la suite à une voix : une seule personne écrit, le plus souvent à un seul destinataire. C'est sous cette forme que surgissent, dans le dernier tiers du

XVIIe siècle, les premières réussites. Il faut distinguer en ce cas deux situations, selon qu'il y a contact ou non avec le destinataire.

Absence de tout contact : ce sont les *Lettres portugaises* et, beaucoup plus tard, au milieu du XVIIIe siècle, les *Lettres péruviennes*, qui combinent le souvenir des *Portugaises* à celui des *Lettres persanes* [9]. On assiste ici à un pur soliloque sans réponse, et c'est ce qui en fait le pathétique; pourtant ce sont bien des lettres : un cri jeté vers quelqu'un mais qui retombe dans le vide, une voix insistante et monotone qui répond à son propre écho, une Hermione sur un plateau vide ; ce sont les *Lettres portugaises*, et c'est aussi la forme première du roman par lettres, qui atteint d'un coup au chef-d'œuvre. La qualité et le succès de l'ouvrage auront sur le développement ultérieur de la formule une influence décisive. Que nous apprend une œuvre comme celle-ci sur les ressources et le style de la lettre, plus particulièrement de la lettre amoureuse, dont les *Portugaises* donneront pour longtemps le modèle ? Il semble qu'on reconnaisse, depuis 1670, une affinité naturelle entre la lettre et la passion, entre le style de la lettre et le style de la passion, dès lors que la passion est tenue pour un mouvement involontaire qui soulève tout l'être, renverse le vieil édifice courtois et galant de dignité féminine et de possession de soi, fait affleurer l'instinct et le trouble; la lettre, supposée expression immédiate du spontané, des soubresauts de l'émotion, enregistrement direct d'un cœur qui ne se gouverne plus, sera l'instrument apte à traduire les fluctuations, les incohérences, les contradictions de la passion ainsi conçue : « Je ne sçay, ny ce que je suis, ny ce que je fais, ny ce que je désire. Je suis déchirée par mille mouvements contraires... » Toute cette troisième *Lettre portugaise* avec son sublime ressassement, son va et vient, ses vœux repris aussitôt

(9) Quelle part faut-il faire, dans les préparations, à ce qu'on nommait au XVIe siècle *élégie*, qui est parfois une épître amoureuse ? Témoin la 2e élégie de Louise Labé, lettre à un amant lointain, plainte d'une abandonnée.

que formés, ses « cependant » qui nient ce qu'on vient d'affirmer, elle atteint au sommet de cette littérature du cardiogramme. On comprend que le succès du roman épistolaire soit lié à cette expérience de la passion : la lettre s'y prêtait étroitement. Mais il y a plus encore dans le cas de la Religieuse portugaise : l'accord complet de la forme et de la situation. D'une part, l'œuvre révèle la tendance profonde de la lettre vers le journal intime : le gentilhomme aimé est si lointain, si absent qu'il en devient irréel; il finit par s'effacer derrière l'invocation qui monte vers lui; l'amant est détruit par l'amante, si solitaire et enfermée dans son amour qu'elle ne voit plus que son amour : « j'ai éprouvé que vous m'étiez moins cher que ma passion » La passion plus réelle que son objet, l'amant absorbé par l'amante, ce renversement des termes de la relation amoureuse ne pouvait être mieux traduit que par cet insatiable monologue de la lettre sans réponse : « j'écris plus pour moi que pour vous ».

Et cependant, ces lettres ne sont pas un vrai journal intime, tant elles sont suspendues à l'existence du destinataire; c'est encore une des contradictions inhérentes à ce singulier chant d'amour : ces lettres « pour moi » sont de vraies lettres, paroles de quelqu'un à quelqu'un d'autre, dont elles s'efforcent de ranimer l'image passée, de restituer la présence : « il me semble que je vous parle, quand je vous écris, et que vous m'êtes un peu plus présent ». Avec une absence créer une présence, tel est bien le pouvoir paradoxal et de la passion et de la lettre.

La seconde variante de l'échange unilatéral, si l'on peut risquer l'expression, est beaucoup plus fréquente; il y a cette fois échange réel : une seule personne écrit, mais elle ne monologue pas dans la solitude forcée de la Religieuse; le destinataire est atteint, les contacts sont établis, invisibles pour le lecteur, mais cependant perceptibles; les réponses ne sont pas reproduites, mais il y a des réponses. On assiste donc bien à un échange, mais à un échange dont un seul partenaire se manifeste, à un duo dont on n'entend qu'une voix. Il en résulte un curieux effet de réalité voilée; le texte est incomplet. Certes, tout roman est le fruit d'une forte élimination, l'histoire racontée ne l'est jamais totalement, ce qu'on en dit est peu au regard de tout ce qu'on n'en dit pas; mais le lecteur ne pense généralement pas à ce dont il est privé, ici, il y pense, il est conduit à en tenir compte, car on lui fait savoir que le roman ne lui présente qu'un fragment du réel, une partie détachée d'un ensemble invisible quoiqu'inséré dans la sphère de l'œuvre; ce qui est exclu du livre fait partie de la lecture du livre.

Les exemples de cette formule, où le personnage unique reçoit et lit des réponses qu'on ne nous donne pas à lire, ne manquent pas : l'*Histoire des amours de Cléante et de Bélise* par Anne Bellinzani, Présidente Ferrant [10], les *Lettres de la Marquise de M... au comte de R...* (1732) et les *Lettres de la Duchesse de ... au Duc de ...* (1768) de Crébillon, les *Lettres de Mrs Fanny Butlerd* de Mme Riccoboni (1757), etc... Je choisis les remarquables *Lettres de la Marquise de M...* La Marquise est mariée à un mari lointain dont elle considère les aventures avec indifférence : « Il m'a dégoûtée d'aimer les hommes. Je ne les hais cependant pas : leur ridicule m'amuse. Sans celui que vous vous donnez de vouloir m'aimer malgré moi, vous ne me paraîtriez pas si divertissant » (lettre II). Voilà ce qu'elle écrit au comte de R..., voilà ce qu'elle croit penser et qu'elle pense peut-être à ce moment; mais c'est le début d'une correspondance qui la montrera par la suite bien différente: passionnément éprise de ce comte qu'elle trouvait si ridicule; on suit toutes les étapes de la transformation par une série de gradations lentes et subtiles.

On a souvent voulu voir en Crébillon un continuateur de la *Princesse de Clèves;* oui, sans doute, pour la délicatesse de l'analyse, pour le soin donné à la progression du sentiment; non certainement, pour ce qui est du ton,

---

(10) Paris, 1691; ce n'est qu'un demi-roman : une correspondance en partie réelle, mais sûrement arrangée ou récrite, précédée d'une confession qui en explique la genèse ; le souvenir des *Lettres portugaises* y est assez visible.

si XVIIIe siècle, pour l'issue si différente : la Marquise résiste mais cède ; non surtout, pour les raisons qui tiennent à la formule épistolaire : d'abord, on est beaucoup plus proche de l'héroïne, on est en elle; ensuite, Mme de Lafayette montrait la sienne à maintes reprises seule, cherchant la solitude pour se regarder et tenter de déchiffrer son cœur loin de tout regard étranger. Rien de tel ici, la Marquise n'est jamais seule et ne peut l'être, puisqu'elle ne nous apparaît qu'écrivant à son partenaire, donc toujours sous le regard de l'adversaire; loin d'ouvrir son cœur pour voir ce qui s'y passe, elle est surtout occupée à le déguiser, à se tromper elle-même en trompant autrui, et, quand elle a lu en elle, à empêcher qu'on y lise tout ce qu'elle y voit; on retrouvera ce trait chez Laclos et chez beaucoup d'autres au XVIIIe siècle; une correspondance amoureuse est un épisode de la guerre des sexes. Crébillon est sur ce point un inventeur, et le choix fait par lui de la forme épistolaire est étroitement lié à cette signification de l'amour; la lettre est un moyen de simuler ou de dissimuler tout autant que de se dire spontanément. A ceci s'ajoute le goût constant de Crébillon pour l'expression à demi-mot, le sous-entendu, les subtiles énigmes qu'on donne à deviner; rien de mieux adapté à ce goût que la formule de correspondance à sens unique employée ici et dans les *Lettres de la Duchesse*. Les lettres du comte n'étant jamais montrées, on ne les lit qu'à travers les réponses de la Marquise, on doit en deviner la teneur à des indications glissées dans ses propos à elle. propos intéressés, donc déformateurs : « pour venir au but principal de votre lettre, vous me croyez fâchée contre vous » (lettre II), « vous me traitez d'ingrate » (lettre III), « vous me vantez vainement l'amour et ses plaisirs » (lettre V), etc... On lit en filigrane et par réfraction tout ce qu'on n'a pas pu lire en clair; la part est donc considérable, qui est faite à l'intervention du lecteur, à ses dons de rectification et d'interprétation. Le lecteur est prié d'être intelligent. Il se voit invité à reconstituer une partie de la réalité qu'on lui dérobe.

Il ne peut toutefois ignorer que l'objectivité lui est

interdite, par la manière même dont il est informé; il voit tout à travers ce verre déformant qu'est la Marquise, il n'a pas d'autre voie d'accès à ce monde qui lui est donc refusé au moment même où il lui est donné; car ce témoin unique est un témoin passionné et incapable de vérité, si ce n'est sur lui-même; de sorte que ce personnage capital du roman, l'homme aimé, demeure un inconnu; il est là, derrière un écran de fumée, nous le suivons tant bien que mal, à travers des mots d'amour ou de reproche, nous essayons de l'imaginer, mais ce qu'il est, ce qu'il fait, ce qu'il pense, il nous est impossible de le savoir. On assiste ainsi, grâce à ce mode de présentation nouveau, à l'introduction dans le roman de la vision subjective, que la littérature du XXe siècle s'attachera également à ménager de toutes sortes de façons, mais pour d'autres raisons et par d'autres méthodes que la forme épistolaire. Chose curieuse : la formule qui semble la plus logique, la première à quoi on devrait penser, est en fait la plus rare : le *duo* proprement dit, l'échange effectif de lettres et réponses de deux correspondants. Le XVIIIe siècle a préféré le duo à une seule voix dont il vient d'être question, avec ses effets de perception relative et de réalité tronquée. Mises à part les nombreuses adaptations des Lettres d'Héloïse et d'Abélard, je ne vois sous cette rubrique que deux ouvrages dignes de remarque; or, l'un appartient au XIXe siècle, les *Mémoires de deux jeunes mariées*, sur lesquels je reviendrai plus loin, et l'autre au XVIIe : ce sont les *Lettres de Babet* par Boursault [11]. D'abord simples modèles de lettres amoureuses comme on en publia beaucoup en ce siècle, Boursault eut l'idée de les grouper pour en faire, peut-être fortuitement, un des premiers romans par lettres; deux jeunes gens de la petite bourgeoisie parisienne y échangent leurs messages. Fille d'un marchand du Marais,

---

(11) *Lettres de respect, d'obligation et d'amour*, Paris, 1669. D'abord dispersées dans le recueil, les lettres de et à Babet sont regroupées dans l'édition de 1683 où elles forment une suite continue; il y aura ensuite des éditions des seules lettres de Babet et à Babet.

Babet habite Vieille rue du Temple; son père veut la marier à un hobereau normand; elle s'est promise à son jeune et spirituel correspondant. Leurs lettres préparent ou évoquent un rendez-vous, une conversation furtive durant la messe, un pique-nique avec des amis, une soirée au théâtre. La fin est brusque : une dernière lettre de la jeune fille annonce à son amant que sur son refus d'épouser le hobereau, son père la met en religion. A lire cette gracieuse pochade, on s'aperçoit qu'il y a là, déjà, à demi exploitée, une des ressources de la suite de lettres : l'enregistrement de la vie au jour le jour; ce sera demain la vie du cœur, c'est ici la vie quotidienne : « la querelle que nous eûmes hier ensemble... », « les douceurs que tu me dis hier... »; le jeune homme invite Babet à une représentation de l'*Attila* de Corneille, la jeune fille le remercie de l'envoi d'un livre nouveau, les *Satires* de Despréaux, sa lecture « fut mon occupation d'hier au soir ». Le héros est littérateur, c'est un dramaturge au début de sa carrière, un sosie de Boursault. Ce galant n'oublie pas sa profession d'homme de lettres, ses expériences amoureuses doivent aussi profiter à l'auteur; il écrit à Babet qu'il travaille à une pièce de théâtre où il fera passer ce qu'elle lui apprend à sentir : « Laisse-moi m'accoutumer au plaisir qu'il y a d'aimer une fille si aimable, afin que je puisse ressentir ce qu'il est nécessaire que j'exprime. Et quand nous ne serons que nous deux, disons des choses si touchantes, et faisons des scènes si passionnées, qu'il n'y ait qu'à les coudre à mon ouvrage... [12] » Ingénuement s'avoue une esthétique très peu classique de la transcription directe de la vie dans l'œuvre; c'est celle qui semble gouverner ce petit roman, composé presque sans le vouloir, tout proche de la conversation familière. Je n'en exagèrerai pas l'importance; mais il a du piquant, et le mérite d'inventer une forme romanesque inédite, le dialogue par lettres. Il ne passa pas inaperçu; s'ajoutant au succès de ces *Suites* des *Lettres portu-*

(12) P. 145-46 de l'éd. de 1698.

gaises, qui entremêlaient lettres et réponses apocryphes, il a pu contribuer à la formation du roman épistolaire, d'une de ses branches au moins : celle qui, étoffant le volume des voix concertantes, va constituer la véritable formule inventée par le XVIIIe siècle : l'œuvre *symphonique,* l'orchestration des messages de correspondants multiples et simultanés. C'est dès lors l'entrecroisement des voix qui fait le corps et la trame du roman. On définit de la sorte les œuvres majeures : après les *Lettres persanes,* qui ouvrent le chemin, les romans de Richardson, Rousseau, Smollett, Dorat, Laclos, Rétif...

Ce que le XVIIIe siècle a le plus volontiers mis au crédit de la nouvelle méthode, c'est la polychromie; on parle constamment de « diversité », de « variété » des styles. Quand Crébillon, qui a si bien réussi au début de sa carrière dans le roman à une voix, y revient 35 ans plus tard avec les *Lettres de la Duchesse,* la situation n'est plus la même : Richardson, Rousseau ont produit leurs grands ouvrages à voix multiples; et il le sent, il s'interroge sur les chances actuelles de l'ancienne formule : « Ici, les dernières lettres de ce recueil exceptées, ce n'est qu'une seule personne qui écrit. Dès là, point de cette *variété* que jettent dans les romans de Richardson les différents personnages qu'il y met sur la scène... Ici donc, c'est partout la même *uniformité* de style et de sentiment; ce dernier même y est si sourd, si masqué, et y produit en apparence si peu de chose, que nous ne serions pas surpris que tous ceux qui liront ces lettres, ne s'aperçussent pas qu'il y en a. » (Préface) La nouvelle littérature de Richardson lui paraît évidemment plus tapageuse et de nature à rendre les lecteurs aveugles à un ouvrage où il ne se passe à peu près rien. Mais ce qui est le plus digne de remarque dans ces lignes, c'est l'opposition sentie par Crébillon entre l'uniformité et la variété. L' « infinie variété », signe de la beauté selon Hogarth, semble être la consigne des nouveaux écrivains. On s'emploie à diversifier le plus possible la manière d'écrire de ses personnages: Dorat déclare nettement cette intention : « J'ai tâché de distinguer, autant qu'il m'a été possible, le style de mes différents personnages. Quand l'amante s'exprime comme l'amant, ni l'un ni l'autre n'attachent. Les hommes, en écrivant, ont plus de vivacité, peut-être plus d'élan; les femmes plus de sensibilité, de mollesse, et d'abandon; elles puisent tout dans leur âme [13]. »

Puisque le style de la lettre est un élément du portrait d'un personnage, il y aura, en principe, autant de styles que de personnages. Les auteurs y trouvent un double avantage : ils se déchargent ainsi sur le personnage du soin de faire son portrait, ce portrait qu'il leur est difficile de dessiner eux-mêmes, puisqu'ils sont obligés, on l'a vu, de renoncer à leurs prérogatives d'auteur présentant son personnel; et ils servent leur dessein constant, qui est de nuancer et de diversifier l'analyse de la vie de l'esprit et du cœur. Il y a là, pour les plus conscients d'entre eux, un moyen d'une grande richesse. C'est une ressource que Laclos, en particulier, utilisera avec un art consommé; qu'on regarde, c'est un exemple entre cent, les premières lettres du recueil, deux lettres féminines : d'abord, une lettre naïve et puérile de Cécile à son amie de pension, ensuite, sans transition, la première lettre de Mme de Merteuil à Valmont. Après l'ingénuité, la rouerie; l'opposition est brutale, et éloquente en elle-même; la simple juxtaposition de deux tons aussi différents devient un moyen d'expression, une manière de dire sans qu'on ait besoin de rien formuler; un blanc prend une signification; les parties muettes du livre entrent, elles aussi, dans la structure du livre. Et l'un des thèmes essentiels du roman est ainsi suggéré dès l'ouverture : la rencontre de l'innocence et de la cérébralité, la confrontation de la victime et du fauve [14].

Un effet du même ordre peut être obtenu en modifiant le style des lettres qu'un même personnage rédige à des moments différents; on pourra traduire ainsi une

---

(13) Avertissement des *Sacrifices de l'amour* (1771).

(14) Cf. J.-L. Seylaz, *Les Liaisons dangereuses et la création romanesque chez Laclos*, Genève, 1958, p. 27.

modification survenue dans son comportement. Un passages des *Malheurs de l'inconstance* de Dorat souligne cet effet : Gérac, l'ami austère, devine, rien qu'à le lire, que le héros Mirbelle est en train de tomber sous l'influence d'un libertin : « Souvenez-vous de la lettre que vous m'écrivîtes il y a un mois; vous vous y abandonniez à votre mouvement naturel. *Que votre style est changé !* » (lettre XVII) Une nouvelle manière de dire trahit une nouvelle manière d'être; rien de mieux accordé au sujet d'un livre qui montre précisément la transformation d'un homme sous la pression d'autrui.

La multiplication des correspondants a pour résultat de modifier profondément l'univers romanesque; il se présente comme un réseau de relations complexes; « les rapports y sont si multipliés, la conduite en est si compliquée », voilà ce que Diderot relève et admire dans *Clarisse Harlowe* [15]. Le monde est un tissu de relations qui se diversifient et s'entremêlent; c'est ce que le lecteur comprend au seul jeu de ces lettres innombrables qui, sous ses yeux, s'échangent et s'entrecroisent, qui partent et arrivent en des points sans cesse différents.

Derrière ces lettres, il y a tous ces personnages divers, qui non seulement ont chacun leur caractère et leur style, mais encore leur manière de comprendre et de s'expliquer leur situation; l'optique de chacun varie constamment, d'abord selon ce caractère, ensuite selon la place qu'il occupe dans le groupe et selon le moment où il en écrit. La multiplication des personnages entraîne la multiplicité des points de vue et des éclairages; cette diversité d'optiques est une marque essentielle des romans de ce type. Il y en a qui n'ont été écrits que pour produire cet effet; tel est le cas d'*Humphry Clinker* de Smollett : cinq correspondants de nature, d'âge et de condition différents, d'où résultent de continuelles variations d'optique qui forment le véritable sujet du livre; la même chose est racontée

---

(15) *Eloge de Richardson, Œuvres,* éd. Pléiade, p. 1097.

tour à tour par l'oncle bonhomme mais un peu atrabilaire, la tante folâtre et mesquine, le neveu oxfordien, la nièce sentimentale ou la servante patoisante; chacun voit et parle selon son caractère, chaque caractère présente sa vision déformante; Bath dans toute sa nouveauté horripile l'oncle mais enchante le snobisme du neveu, et ainsi de suite tout au long des pérégrinations du groupe à travers la Grande-Bretagne; la réalité déformée doit donc être rétablie, elle n'est dite nulle part; c'est à l'esprit du lecteur à rectifier et recomposer; mais la vraie réalité, ce sont précisément les déformations révélatrices des personnages [16].

On le voit, cette fragmentation de l'optique en de multiples foyers permet des effets neufs et intéressants: la plupart des épistoliers s'y plaisent; la projection d'éclairages successifs et variables sur un même événement ou sur un même personnage s'observe fréquemment chez Richardson, chez Rousseau, et bien entendu chez Laclos. Je n'en donnerai que quelques exemples : les lettres 113, 115 et 116 de *Clarisse* (dans la traduction de Prévost), qui offrent trois aspects de la même conversation entre Lovelace et Clarisse : telle que Clarisse l'a entendue, telle que Lovelace l'a sous-entendue, avec des dessous imperceptibles à la jeune fille, telle enfin que Miss Howe sa confidente l'interprète. Rousseau, de son côté, ne manque pas d'utiliser ce précieux instrument oculaire, qui lui sert en même temps à renforcer un épisode important; ainsi, la mort de Julie, racontée trois fois, ou la scène du retour de Saint-Preux à Clarens après six années de séparation, relatée et commentée selon les trois points de vue de Saint-Preux, de Julie et de Claire; ou encore l'épisode important de Villeneuve, rapporté sous deux formes différentes par Saint-Preux, d'abord à Wolmar puis à Claire; on remarquera le rôle joué par le destinataire, qui modifie le contenu du récit qu'on lui fait; après quoi, les réponses de Wolmar et de Claire donnent du rêve deux interprétations

(16) De même chez H. James, *A bundle of letters.*

divergentes; donc, en tout, quatre éclairages. Quant aux *Liaisons dangereuses*, elles jouent constamment de ces déplacements de perspective. Un seul exemple : les lettres 136, 137 et 138 livrent trois versions de l'incident de la sortie de l'Opéra, la courtisane Emilie vue par Mme de Tourvel dans la voiture de Valmont et riant à son passage : la version de Mme de Tourvel à sa vieille amie, celle de Valmont à Mme de Tourvel, enfin celle de Valmont à Mme de Merteuil; on pense bien que les deux lettres de Valmont diffèrent du tout au tout.

Dès qu'il adopte la formule des correspondants multiples, le roman par lettres est conduit à édifier des structures d'ensemble dont la note dominante est l'entrecroisement des lignes, la fragmentation du discours, les ruptures de ton, le continuel déplacement du point de vue. On est loin de l' « uniformité de ton » et de l'homogénéité classiques. Le temps lui-même est désarticulé, et se meut irrégulièrement : diverses lettres sur le même événement ou des lettres sautées provoquent des arrêts, des reculs, des bonds, des progressions sur plusieurs plans parallèles. Plus de cheminement en ligne droite; c'est le triomphe de la ligne rompue et de la ligne sinueuse. On évoque la ligne *serpentine*, la seule « ligne de beauté » selon Hogarth. La relation avec cette esthétique si répandue au XVIIIe siècle a été sentie par Dorat, lorsqu'il rapproche la composition rompue, adoptée très volontairement par lui, des nouveaux jardins « à l'anglaise » : « Je ne me suis point astreint à faire suivre les réponses. J'ai craint l'ordre fastidieux de cette marche. Je n'aime pas plus les livres trop méthodiques, que *les jardins trop alignés*. Quelquefois mon héroïne répond à une lettre qu'on n'a point vue, et laisse sans réplique celle qu'on vient de lire. On se plaît à *franchir les intermédiaires*, surtout dans un sujet où l'imagination peut si aisément y suppléer [17]. » Ce propos vaut pour d'autres ouvrages que ceux de Dorat:

(17) Avertissement des *Sacrifices de l'amour*.

et on se rappellera l'admirable description du « verger de Julie » dans la *Nouvelle Héloïse*, où l'on ne voit « rien d'aligné », où « les sinuosités... sont ménagées avec art », cet Eden serpentin placé par Rousseau au centre de Clarens et de son roman comme une image et de son monde idéal et de la composition de son livre.

On voit apparaître ainsi un caractère commun à l'ensemble de la création romanesque au XVIIIe siècle, qu'elle soit épistolaire ou non : de Marivaux [18] à Fielding, de Sterne à Diderot, on pratique et on affiche, parfois agressivement, une esthétique analogue à celle qui vient de se dégager, celle qui préconise et justifie la démarche digressive, le style coupé, les changements de plans, les ruptures de tons, l'entrelacement des fils : tous les caractères de la ligne sinueuse [19].

*
* *

III. — Trois œuvres.

Il faut maintenant terminer en renversant le point de vue. Les grandes œuvres sont davantage qu'un moment de la vie des formes, elles sont d'abord et plus que toute chose un moment de la vie d'un esprit, l'expression d'une aventure individuelle.

Considérant en eux-mêmes trois romans importants, je voudrais examiner comment la forme ouvre un che-

---

(18) C'est l'occasion de rappeler que Marivaux devrait être inclus dans un traitement complet du roman par lettres, mais un peu en marge ; un de ses romans de jeunesse, *Les effets surprenants de la sympathie*, est conçu comme une sorte de longue lettre à une dame à laquelle il veut plaire par ce récit ; quant à la *Vie de Marianne*, chacune de ses parties est une lettre adressée par Marianne à une amie, avec toutes les digressions, interruptions et remarques sur le récit autorisées par le style épistolaire.

(19) C'est encore Dorat qui reconnaît à la forme épistolaire cette supériorité, qu'elle est « plus vive, plus rapide, plus coupée, plus susceptible de mouvement » (Notice préliminaire aux *Lettres d'une Chanoinesse*, modernisation versifiée des *Lettres portugaises*, avec les réponses. *Œuvres*, éd. Neuchâtel, 1786, T. I, p. 168).

min vers la signification, comment dans chaque cas se fait l'accord d'un sens et d'un traitement particulier de la technique épistolaire.

La Nouvelle Héloïse.

Le roman de Rousseau n'a guère été analysé sous cet aspect [20]. On a surtout relevé ses défauts à cet égard, la tendance à abuser de la lettre pour la tourner en discours ou en dissertations [21]; et on a insisté sur sa dette envers Richardson. Sans doute est-il vrai qu'en un autre temps Rousseau n'eût peut-être pas publié son roman sous cette forme; mais n'oublions pas que les lettres ont surgi antérieurement à tout plan de roman : « Je jetai d'abord sur le papier quelques lettres éparses sans suite et sans liaison, et lorsque je m'avisai de les vouloir coudre j'y fus souvent fort embarrassé. Ce qu'il y a de peu croyable et de très vrai est que les deux premières Parties ont été écrites presque en entier de cette manière; sans que j'eusse aucun plan bien formé, et même sans prévoir qu'un jour, je serois tenté d'en faire un ouvrage en règle [22]. » Les lettres amoureuses ont créé ici le besoin du roman par lettres. Puis le roman produisit d'autres lettres, et exigea une certaine ordonnance de toutes ces lettres. Cette ordonnance, quelle est-elle ? que révèle-t-elle ?

La première Partie, qui est le temps du délire, de l'abandon à la passion, est presque uniquement composée de lettres des deux amants; c'est un long duo, exclusif de tout ce qui n'est pas lui, le dialogue de deux êtres qui ne veulent plus connaître qu'eux-mêmes. Vers la fin seulement s'intercalent quelques lettres de tiers ou

(20) On trouvera de très utiles remarques sur ce point dans l'Introduction et les notes dont Bernard Guyon accompagne l'édition de la *Nouvelle Héloïse* (*Œuvres complètes,* éd. Pléiade, t. II, Paris, 1961).

(21) Rousseau et ses contemporains y faisaient moins d'objections que nous, ils y voyaient autant de « points d'application pratique de la morale générale que dégage le roman » (J. Voisine, « Revue des Etudes germaniques », 1950, nos 2-3, p. 122).

(22) *Confessions,* Livre IX, éd. Pléiade, T. I, p. 431.

à des tiers, qui interviennent précisément pour rompre ce dangereux tête-à-tête, pour séparer les amants et éloigner Saint-Preux; c'est l'intrusion de l'opinion et des interdits de la société, sous les espèces de l'amitié ou des préjugés familiaux qui entravent le développement de la passion solitaire et anti-sociale.

Dès la fin de la première Partie, les amants sont séparés. D'abord imposée, cette séparation est ensuite volontairement acceptée par la jeune femme : c'est le premier degré du renoncement de Julie-Pauline à Saint-Preux-Sévère et la première épreuve imposée par Julie-Astrée à Saint-Preux-Céladon, première étape de cet itinéraire de l'amour courtois, où la Dame guide le héros vers la perfection au long d'un parcours qui suppose la séparation et la communication à distance; on conçoit qu'à cette situation rien ne se prêtât mieux que l'échange de lettres. C'est principalement le cas de la seconde Partie (séjour de Saint-Preux à Paris) : les amants sont séparés, mais n'ont pas renoncé définitivement l'un à l'autre, la séparation n'exclut pas une plus étroite union des âmes; aussi les lettres peuvent-elles être d'amers mais vivants substituts de présence : « J'ai reçu ta lettre avec les mêmes transports que m'aurait causés ta présence, et dans l'emportement de ma joye un vain papier me tenoit lieu de toi. » (A Julie, II, 16.) Mais si les deux héros continuent à s'écrire, les lettres de tiers se font plus nombreuses, et plus nombreuses encore dans la troisième Partie, où la proportion se renverse très logiquement en faveur des tiers, la séparation définitive se prépare et se consomme. Enfin, la seconde moitié du roman ne contient presque plus de lettres de Julie à Saint-Preux ou de Saint-Preux à Julie, les échanges directs se réduisent à presque rien et font place à des contacts indirects. par personnes interposées, Edouard, Claire, M. de Wolmar servant à la fois de relais et d'obstacles.

On constate donc un rapport étroit et significatif entre la situation romanesque et la situation épistolaire. Ayant renoncé aux relations immédiates et surmonté la solitude à deux de la passion, les amants se sont intégrés dans un groupe qui les soutient mais les contient ; ils acceptent une morale, une « vertu » qui implique à la fois la survivance et le dépassement de la passion. Si Saint-Preux et Julie demeurent en communication, c'est seulement au sein de la collectivité et à travers elle; toutes les lettres qui continuent de s'échanger les concernent, mais elles ne vont plus de l'un vers l'autre ; ce n'est plus le couple, c'est le groupe qui parle et s'entretient d'eux ; dans la mesure où ils se sont réformés et renoncés, ils renoncent également à la confession immédiate de leur vie intime par le moyen de la lettre où le cœur s'épanche sans intermédiaire dans le cœur aimé. Le couple est absorbé dans la société idéale de Clarens comme le dialogue épistolaire des premières Parties cède la place à la correspondance collective.

Absorption peut-être plus apparente que réelle : la dernière lettre de Julie mourante est de nouveau une lettre de Julie à Saint-Preux, et une lettre intime, une lettre d'amour[23]: « je ne te quitte pas, je vais t'attendre ». Mais c'est encore une lettre de séparation, d'union dans le seul au-delà. Il reste que le roman se termine comme il avait commencé, le dialogue se renoue, conformément aux paroles mêmes de Julie dans cette ultime confidence : « Hélas ! j'achève de vivre comme j'ai commencé. »

A vrai dire, ce n'est pas seulement Saint-Preux qui se voit progressivement privé des lettres de Julie ; les autres, Claire mise à part, n'en reçoivent pas davantage dès lors qu'elle est mariée. La correspondance émanant de l'héroïne se raréfie dans le temps même où sa présence dans le roman grandit, où sa personnalité gagne en majesté et en rayonnement. Julie cesse à peu près d'écrire, et cependant il n'est question que d'elle, toutes les lettres convergent vers elle ; elle est le centre, et les autres sont les miroirs qui la reflètent. A la différence

(23) Il y a bien eu auparavant les lettres 6 et 8 de la VIe Partie, mais ce sont moins des lettres de Julie que de Mme de Wolmar qui propose à Saint-Preux d'épouser Claire. Elle ignore encore le « secret fatal » que la mort lui révèlera.

de ce qui se passe dans la plupart des romans épistolaires à voix multiples, la seconde moitié de la *Nouvelle Héloïse* ne présente pas une pluralité de points de vue partiels et variables sur un ou plusieurs personnages en voie de développement, mais une contemplation ininterrompue convergeant sur un personnage unique et immobile. La position dominante de l'héroïne au centre de la société de Clarens se trouve ainsi exprimée clairement par la répartition et la provenance des lettres échangées. Elle était au commencement sujet autant qu'objet de passion ; elle n'apparaît désormais que comme objet offert aux regards de tous ceux qui l'aiment et qui reçoivent d'elle la lumière paisible d'une âme victorieuse de sa passion. La pédagogie de M. de Wolmar semble avoir triomphé : l'amour est dans le passé, supprimez la mémoire, et il n'y a plus d'amour.

Sans doute, le passé n'est pas aussi mort qu'on le croit, il y a des « souvenirs involontaires », il y a la promenade sur le lac où la mémoire est brassée dans ses profondeurs, mais ce sont crises passagères dont Mme de Wolmar semble moins remuée que Saint-Preux. Est-elle réellement aussi constamment tranquille et triomphante que nous la voyons ? En raison précisément de cette raréfaction de ses lettres, nous la connaissons moins bien que nous ne connaissons Saint-Preux, nous ne pénétrons plus en elle, et nous ne sommes pas plus savants à son sujet que M. de Wolmar, dont les paroles seront aussi les nôtres : « pour votre amie, écrit-il à Claire, on n'en peut parler que par conjecture : un voile de sagesse et d'honnêteté fait tant de replis autour de son cœur, qu'il n'est plus possible à l'œil humain d'y pénétrer, pas même au sien propre. » [24] Il faudra la confession de Julie dans sa dernière lettre pour que se lève le voile : « Vous m'avez cru guérie, et j'ai cru l'être... Oui, j'eus beau vouloir étouffer le premier sentiment qui m'a fait vivre, il s'est concentré dans mon cœur. Il s'y réveille au moment qu'il n'est plus à crain-

(24) IV, 14, p. 509.

dre..., il me ranime quand je meurs. »[25] Tel est un des effets très naturellement obtenus par la technique épistolaire : après la longue occultation d'un cœur, sa soudaine révélation.

Je relèverai encore cette conséquence de l'emploi de la forme épistolaire, la présence d'un type particulier de personnages : les confidents. Les protagonistes ont besoin de quelqu'un à qui ils puissent tout dire. C'est le motif qui a poussé Richardson à donner Belford à Lovelace et Miss Howe à Clarisse ; chez Rousseau, si Claire appartient à la première phase de la genèse, on peut penser que sa fonction de confidente a contribué à modeler le rôle ; quant à Mylord Edouard, il est l'exemple d'un personnage créé par sa fonction. Le romancier épistolaire se trouve ainsi porté, par la nature même de la formule adoptée, à inventer ou à développer des personnages qu'en d'autres circonstances il aurait peut-être laissés dans les limbes. S'il a le goût du paradoxe, il peut aller plus loin dans cette direction : il peut faire du confident le personnage principal. Voilà le coup de maître de Laclos créant Mme de Merteuil.

Les Liaisons dangereuses.

Laclos, fervent admirateur de la *Nouvelle Héloïse,* charge ses personnages de proclamer sa dette envers les grands romans épistolaires de la génération précédente. Mme de Tourvel lit *Clarisse* dans ses heures de mélancolie amoureuse, la Marquise de Merteuil et Valmont citent volontiers l'*Héloïse* dans leurs lettres, mais la référence se colore d'ironie ; Laclos en fait la remarque, dans une note manuscrite à la lettre 110 : « M. de Valmont paraît aimer à citer J.-J. Rousseau, et toujours en le profanant par l'abus qu'il en fait. »

Il faut tenir compte, pour interpréter correctement les *Liaisons,* de leur lien de filiation avec l'œuvre de Rousseau. Ce lien est indéniable pour quiconque a lu et

(25) VI, 12, p. 740-741.

pris au sérieux le traité de l'*Education des femmes*, qui s'inscrit en marge de *Julie* et du Livre V de l'*Emile*, dans le prolongement des réflexions de Rousseau sur la femme naturelle et sa perversion dans la civilisation parisienne de son temps. Les *Liaisons* apparaissent alors comme une *Héloïse* renversée ; le mouvement ascendant vers l'ordre et l'harmonie autour de Julie s'inverse en un mouvement descendant vers le désordre et la discordance autour d'une figure féminine également dominante, la Marquise de Merteuil, image négative et de Julie et de Mme de Tourvel, cette victime de l'homme qui est l'exact contre-pied de Saint-Preux : Valmont.

Conçue dans le sillage de Rousseau, l'œuvre de Laclos n'en possède pas moins son autonomie et ses vertus propres. Elle n'a ni la grandeur ni la richesse de la *Nouvelle Héloïse*, mais elle conduit à sa perfection la technique épistolaire, pour atteindre, comme l'a fort bien montré Jean-Luc Seylaz [26], à un complet accord du sujet et du mode de présentation. Laclos n'invente pas tous les moyens dont il se sert, il bénéficie d'un siècle d'expériences et de tentatives de toutes sortes, mais il utilise les résultats acquis avec une intelligence et une habileté hors de pair. Il a au surplus quelque chose à dire que nulle autre forme romanesque ne pouvait si bien dire.

L'art aigu et très conscient de Laclos porte d'abord sur la justification de la technique utilisée : toutes les lettres sont nécessaires et motivées, et sur le respect constant de la nature du texte épistolaire : quand on

---

(26) J.-L. Seylaz, *Les Liaisons dangereuses et la création romanesque chez Laclos*, Genève, 1958 : « L'originalité de Laclos, c'est d'avoir donné une valeur dramatique à la composition par lettres, d'avoir fait de ces lettres l'étoffe même du roman et d'avoir réalisé ainsi, entre le sujet du livre et le mode de narration, un accord si étroit que ce mode en devient non seulement vraisemblable mais nécessaire » (p. 19). On lira surtout, à cet égard, le chap. II : « Une géométrie sensible ».

On aura grand profit également à connaître l'excellent essai d'A. Pizzorusso, *La struttura delle « Liaisons dangereuses »*, dans « Annali delle Facoltà di Lettere e Filosofia e di Magistero dell'Università di Cagliari ». Vol. XIX (1952), Parte II, pp. 3-41.

lit ce roman, on n'oublie pas un instant qu'on lit des lettres. Nous ne voyons pas seulement une main qui écrit, mais aussi les yeux qui liront ; une voix parle, mais l'écouteur est présent, personnage du roman au même titre que les autres, et qui à son tour répondra. Il y a dialogue incessant et serré de présences simultanées. C'est que chaque lettre est si bien adressée à quelqu'un, tellement composée à la mesure de ce destinataire et de sa situation actuelle, que ce destinataire est dans la lettre qu'il va recevoir autant que dans celle qu'il écrira. S'il est des gens qui, telle Cécile Volanges, ignoreraient ce principe de l'art épistolaire, personne n'est mieux placé pour le leur rappeler que Mme de Merteuil : « ... quand vous écrivez à quelqu'un, c'est pour lui et non pas pour vous : vous devez donc moins chercher à lui dire ce que vous pensez, que ce qui lui plaît davantage. » (lettre 105). Ce qui signifie que l'on doit surtout dire ce que l'on ne pense pas. Plus encore qu'un moyen d'échange, la lettre est ici un moyen d'action, qui vise le destinataire comme une cible. Chez Laclos, les relations humaines sont des relations de combat ou de représentation, ce qui revient au même dans ce monde où l'on n'est jamais seul, où l'on pense toujours sous le regard d'autrui, que ce soit pour se dérober ou pour se révéler. Car il y a deux camps en lutte dans ce roman : il y a ceux qui composent toutes leurs attitudes et ne disent pas un mot qui ne soit calculé en vue au but à atteindre ; ce sont les protagonistes libertins, toujours masqués, toujours acteurs. Quand Valmont écrit à Mme de Tourvel ou à Cécile, il ne dit jamais ce qu'il pense mais ce qu'il doit paraître penser pour produire l'effet voulu et faire progresser l'entreprise de séduction ; et Mme de Merteuil change de masque sous nos yeux selon qu'elle s'adresse à Valmont, à Cécile, ou à Mme de Volanges : un visage par destinataire ; grâce aux lettres successives, tous ces visages se dénoncent mutuellement. Et il y a d'autre part les personnages de premier mouvement, incapables de se composer et de dissimuler : Cécile, Danceny, Mme de Tourvel : « Je ne sais ni dissimuler, ni combattre les impressions que j'éprouve »[27]. Mais si les sincères se livrent dans leurs messages, c'est souvent à leur insu, sous l'impulsion du sentiment qui leur fait dire plus qu'ils ne croient penser. Il en résulte que toutes ces lettres ont un sens apparent et un sens caché et qu'elles appellent les interprétations de ces maîtres du déchiffrage que sont Valmont et Mme de Merteuil, soit qu'ils glosent leurs propres textes, soit qu'ils traduisent en clair ceux de leurs victimes. Ces lettres ne peuvent donc se lire isolément. Comme les pièces d'une charpente, elles se soutiennent et s'expli-pliquent les unes les autres, formant une trame de fils solidaires.

Comme les lettres des *Liaisons* sont brèves, on est sensible à leur succession, dont l'ordre n'est jamais indifférent ; il répond à de savants effets de groupement, d'encadrement, d'opposition ou de juxtaposition significatifs : une lettre de ou à Mme de Tourvel suit une lettre de ou à Mme de Merteuil, etc...[28] Toute l'attention est ainsi portée sur la rapidité des échanges, les continuelles et brusques modifications de points de vue. Laclos constitue de la sorte un véritable langage de la disposition et du mouvement des pièces sur l'échiquier. Cet art de la manœuvre, perceptible dans chaque page d'un livre dont le sujet est précisément la manœuvre des uns par les autres, atteste l'heureuse équivalence de la forme et du contenu. Mais ce n'est pas tout.

On a été surtout sensible à cet aspect du roman : une horlogerie bien montée, un mécanisme savant. Sans doute, on ne peut ne pas reconnaître en Laclos un Valmont de la composition, tacticien virtuose, assurant sa marche et prévoyant ses effets, maître d'un ouvrage où rien n'est laissé au hasard, auteur d'un livre rigoureusement construit à la façon d'une pièce de théâtre classique, — le rapprochement a été maintes fois pro-

---

(27) Lettre 26, écrite par Mme de Tourvel; on rapprochera cette déclaration du chap. VI de l'*Education des femmes :* la femme naturelle ne sait ni minauder ni se contraindre, « son âme se peint sur son visage ».

(28) Cf. sur ce point l'ouvrage cité de J.-L. Seylaz.

posé. Et c'est vrai, il y a dans ce roman un ordre et une volonté d'organisation qui rompent avec les tendances dominantes du XVIIIe siècle, où le roman affichait une composition libre et capricieuse, aussi bien chez Marivaux, Prévost, Sterne ou Diderot que chez les auteurs de romans par lettres.

Mais les *Liaisons* ne sont-elles que cela : un mécanisme soigneusement ordonné ? Cela ne suffirait pas à en faire le grand roman qu'elles sont. Elles participent, elles aussi, des caractères du roman épistolaire polyphonique, qui sont, on l'a vu, la multiplicité complexe des relations, les zigzags et l'apparent désordre d'une pensée digressive, le caprice et l'imprévu de la ligne sinueuse. A regarder de près la composition des échanges et le mouvement des lettres dans le roman, on s'aperçoit qu'ils obéissent à une loi de complexité et de confusion grandissantes. Aux rapports assez simples du début qui font communiquer entre eux Valmont et Mme de Merteuil, Danceny et Cécile Volanges, viennent bientôt s'ajouter de nouvelles combinaisons : Mme de Tourvel-Valmont, puis Cécile-Valmont, Mme de Merteuil-Mme de Volanges, Mme de Merteuil-Danceny, Mme de Tourvel-Mme de Rosemonde. Les figures initiales se mêlent, se compliquent, forment de nouvelles figures. On assiste donc à un progrès marqué de l'entrelacement et de l'enchevêtrement. L'ordre et la pureté font graduellement place à une fusion et à un foisonnement des relations engagées qui correspondent au développement de la situation romanesque, à l'apparition du trouble et du désordre dans les sentiments. Car les *Liaisons* racontent la destruction du système par la passion, la dissolution du projet volontaire et de la méthode, dont le symbole est la ligne droite, par le sentiment, qui s'exprime dans la ligne sinueuse ; à un ordre prémédité se substitue un trouble involontaire, à l'ordre des principes le désordre du caprice. Dès la lettre 10, Mme de Merteuil met Valmont en garde : « Vous voilà donc vous conduisant sans *principes*, et donnant tout au hasard, ou plutôt au *caprice* ». Valmont, l'homme de la prévision et du système, cède malgré lui et sans vouloir en convenir au « mouvement involontaire » de la passion et dément son credo libertin, vaincu bien avant sa victoire apparente sur Mme de Tourvel [29]. Mais Valmont n'est pas seul à se déjuger dans ce roman qui, en dépit des grandes professions de foi des protagonistes sur lesquelles se fixe trop exclusivement l'attention, est un roman beaucoup moins cérébral et « satanique » qu'il ne semble. C'est le roman de l'amour, du triomphe de l'amour, où tout le monde aime contre le principe qui lui interdit d'aimer, principe religieux pour Mme de Tourvel, principe libertin pour Valmont et Mme de Merteuil ; car Mme de Merteuil elle-même, qui incarne si fortement le refus des vertus de sensibilité « naturelle » et l'art de « tout... soumettre à ses plans » [30], finit par céder à des forces qui la conduisent obscurément : une sorte d'amour pour Valmont et une violente jalousie à l'endroit de Mme de Tourvel.

C'est cette victoire insidieuse du trouble des sentiments, du « hasard » et du « caprice » que signifie, sur le plan de la composition, l'enchevêtrement croissant de la texture épistolaire. Laclos a volontairement répandu dans son roman« ce désordre qui peut seul peindre le sentiment » (lettre 70).

Un effet que Laclos n'a peut-être pas obtenu volontairement, mais qui n'en existe pas moins, tient étroitement à la forme épistolaire. Celle-ci établit entre les personnages et le lecteur un rapport très particulier, qui

---

(29) C'est ce que Georges Poulet a parfaitement vu : « Ainsi s'introduit subrepticement, dans un roman qui est celui de la conquête préméditée d'une victime par un séducteur, un autre roman, inattendu, imprévisible, qui est celui de la conquête non préméditée du séducteur par la victime ». *La Distance intérieure*, p. 77.

(30) *Observations du Général Laclos sur le roman théâtral de M. Lacretelle Aîné*, retrouvées et publiées par Claude Pichois dans *Saggi e ricerche di letteratura francese*, Università degli Studi di Pisa, Studi di Filologia moderna, Milan, Feltrinelli, 1960, p. 141.

Trouvaille d'un vif intérêt. Laclos s'y enthousiasme pour un certain Gourville, « une sorte de monstre dramatique » qui allie la vertu et le vice, c'est-à-dire l'intrigue, qu'il définit : « L'art de réussir dans nos entreprises, d'employer habilement les choses et les hommes..., le don de ne rien négliger, de tout soumettre, de tout ramener à ses plans, à son but ».

la distingue des modes narratifs. Le lecteur se trouve projeté au cœur de chaque personnage, puisqu'il le voit former et conduire sa pensée ; il écrit pour ainsi dire avec lui. Observateur d'intimités, il se transporte tour à tour d'une conscience à une autre, sachant parfaitement ce qui se passe dans chacune d'elles. Placé au poste central d'écoute, il connaît non seulement ce que pense chacun des correspondants, mais encore ce que tous simultanément pensent et projettent à l'insu les uns des autres. Il en sait donc beaucoup plus que les personnages, puisqu'il est en principe le seul à pouvoir lire toutes les lettres. Or il y a chez Laclos une entorse remarquable à ce principe : Valmont et Mme de Merteuil, eux aussi, lisent les lettres qui ne leur sont pas destinées. La Marquise reçoit, en annexe des relations de Valmont, ses brouillons de lettres à Mme de Tourvel et les réponses de celle-ci ; Valmont de son côté surprend la correspondance qui va de Mme de Tourvel à Mme de Volanges, puis à Mme de Rosemonde, etc... Les deux protagonistes sont donc mis par leur industrie en position de tout savoir, ce qui leur permet de tout prévoir et de tout conduire ; ils occupent eux aussi, et eux seuls, la situation privilégiée du lecteur. Il s'institue de la sorte une égalité, donc une complicité entre le lecteur et le couple libertin dont il est amené à comprendre les intentions, à épouser tous les mouvements ; complicité avec des « monstres », complicité avec le mal. On peut penser que le scandale du livre, sa réputation de roman pervers sont dus pour une bonne part à cette situation singulière créée par la technique épistolaire et l'emploi qu'en fait Laclos.

Les Mémoires de deux jeunes mariées.

Un demi-siècle après Laclos, Balzac va se saisir du vieil instrument si abondamment pratiqué au XVIIIe siècle et lui redonner vie, une fois encore. Entre temps, les romans par lettres parurent en grand nombre, il y en eut d'importants, mais la plupart sont de faux romans par lettres [31] : lettres écrites à soi-même par le détour d'un vague confident, notes prises au jour le jour, « confessions épistolaires » selon le terme d'un personnage de *Mademoiselle de Maupin.* Sous le couvert du roman par lettres, c'est en réalité le journal intime qui s'introduit dans le roman. Tel est *Obermann,* pure autobiographie au fil des jours : « Je me sens triste et j'écris. » Toute volonté d'échange ou d'action a disparu chez ce solitaire de l'introspection à la recherche d'une « île escarpée..., difficile d'accès » ou d'une forêt inhabitée dont les sentiers ne mènent nulle part. Avec ce goût de ce qui s'éteint et s'immobilise, brouillards, crépuscule, clartés incertaines, « soleil faible et souvent caché », Senancour ne pouvait écrire que de pseudo-lettres adressées à lui-même.

Qu'il en aille tout autrement avec Balzac, on ne s'en étonnera pas, il est le poète des relations et des contacts actifs. Il ne recourt qu'une fois, dans la *Comédie humaine,* à la forme épistolaire [32], avec *les Mémoires de deux jeunes mariées,* mais ses premiers pas de romancier l'engageaient dans cette direction, tant était grand au début du XIXe siècle le prestige de la formule.

---

(31) La floraison de petits romans par lettres qui paraissent à la fin du XVIIIe siècle et dans les premières années du XIXe ne semblent rien devoir aux *Liaisons dangereuses.* Esprit et formule, tout s'en éloigne ; on est, en revanche, très près de Mme Riccoboni ou de Werther. Les auteurs en sont souvent des femmes, de celles qu'aimait Sainte-Beuve : Mme de Charrière (*Lettres neuchâteloises, Lettres écrites de Lausanne, Mistris Henley*), Mme de Souza (*Adèle de Senange*), Mme Cottin (*Claire d'Albe*), Mme de Krudener (*Valérie*)... Tous ces ouvrages tendent au journal qui ne dit pas son nom ; il le dit dans *Valérie :* les dernières lettres de son mélancolique héros s'intitulent « Journal de Gustave », bribes écrites par un mourant. Il faut mettre à part la *Delphine* de Mme de Staël, où s'expriment de nombreux correspondants, mais qui se réduit pour l'essentiel à un dialogue. Dans la génération suivante, Gautier tente avec *Mlle de Maupin* une combinaison, assez informe mais significative, de la confession et du dialogue; le dialogue avorte : deux séries parallèles de confessions qui sont de longs fragments autobiographiques, les deux protagonistes ne se rencontrant qu'à la fin pour se séparer aussitôt après un échange unique de deux courtes lettres ; deux vies solitaires qui se croisent un instant et retombent dans leur solitude.

(32) Il faut mettre à part le *Lys dans la vallée,* longue lettre suivie d'une brève réponse. C'est un roman autobiographique au passé, ce n'est pas un roman par lettres.

A 20 ans, en même temps que son drame historique, Balzac écrit un premier roman qu'il n'achèvera pas, *Sténie ou les erreurs philosophiques*[33]. C'est un roman par lettres, imprégné du souvenir de Rousseau et de la *Nouvelle Héloïse*, des premières Parties de la *Nouvelle Héloïse*. On y trouve nombre d'indications riches d'avenir, de thèmes qui seront ceux du futur Balzac, principalement celui de *Louis Lambert* et de *Seraphita :* amorce du « Traité de la volonté », spéculations sur les rêves et le pouvoir de la pensée, opposition de Paris et de la Province, etc...; on reconnaît aussi, dans la correspondance qu'échange l'héroïne mariée avec une amie, un premier crayon des *Mémoires de deux jeunes mariées*.

Balzac conçoit dès 1835 un roman qu'il intitule les *Mémoires d'une jeune mariée*. Quand il réalise le projet, en 1841-42, la jeune mariée se dédouble et les « Mémoires » deviennent une correspondance, un roman par lettres, peut-être le dernier des véritables romans par lettres.

Deux jeunes femmes, intimes amies de couvent, sont séparées. Louise de Chaulieu vit à Paris dans le monde aristocratique, Renée de Maucombe dans une gentilhommière provençale. Leurs lettres les maintiennent en étroite communication; celles de tiers étant rares et d'importance secondaire, il s'agit d'un dialogue épistolaire. C'est la première fois que ce parti est adopté avec autant de force et de netteté. Il a fallu pour cela attendre Balzac, qui devait y satisfaire certaines tendances profondes. Il s'en sert pour lier en les opposant deux natures contrastées, deux vocations, deux types de passion, « deux mondes » ainsi que le dit une lettre de Louise : « O mon ange, pourquoi parlons-nous une langue différente ? Ton mariage purement social, et mon mariage qui n'est qu'un amour heureux, sont deux mondes qui ne peuvent pas plus se comprendre que le fini ne peut comprendre l'infini. Tu restes sur la terre,

(33) Cf. A. Prioult, *Balzac avant la Comédie humaine*, Paris, 1936, et son édition de *Sténie*.

je suis dans le ciel ! Tu es dans la sphère humaine, et je suis dans la sphère divine. Je règne par l'amour, tu règnes par le calcul et par le devoir[34]. »

Renée s'est mariée sans amour avec un voisin revenu d'émigration qu'elle réconciliera avec la vie tout en réorganisant l'exploitation de ses propriétés (la situation de Mme de Mortsauf dans le *Lys*, mais sans Félix, sans tragique); c'est la femme qui vit dans l'acceptation d'un bonheur circonscrit. Elle lit Bonald, tandis que son amie dévore *Corinne* et *Adolphe;* car Louise, on l'a vu, c'est « l'infini », la montée dans « le ciel », c'est-à-dire la passion sans limites, qui la porte à l'extrême de la tension et de la joie, mais aussi à l'usure rapide et à la mort : « Je suis si haut que s'il y avait une chute je serais brisée en mille miettes. » Elle mourra de jalousie, emportée par l'excès de sa passion, consumée par une prodigalité de vie qui interdit tout équilibre vital. On reconnaît le thème central des *Contes philosophiques :* la passion qui tue, le génie qui succombe sous sa propre surabondance.

Mais il ne faudrait pas croire que sa sœur antagoniste, cette Renée qui vit « sur la terre » et accepte « le fini » soit sans passion, ce serait mal connaître Balzac. Sa passion propre, elle la découvrira, non moins intense, mais inscrite dans les limites de sa condition, une passion balzacienne entre toutes, qui fera d'elle la véritable héroïne du roman : la maternité, c'est-à-dire la production d'êtres, la création. Les pages que Balzac lui fait écrire sur sa grossesse, sur son accouchement sont d'extraordinaires moments lyriques. Aux contrastes antérieurs s'en ajoute un autre, qui rejoint lui aussi une constante balzacienne : la fécondité et la stérilité, une énergie qui se déploie en produisant, en rayonnant, et une énergie qui se « restreint », se concentre en se détruisant. « Je suis plus amante que mère », dit Louise qui est stérile, à l'image de la société parisienne qu'elle représente. Aussi, bien qu'heureuse par l'amour, finit-

(34) Ed. Conard, p. 279.

elle par reconnaître la supériorité de son amie en des termes où le romancier s'est mis tout entier : « Hélas ! ma Renée, je n'ai toujours point d'enfants... Ma vie, à moi, s'est *restreinte,* tandis que la tienne a grandi, a *rayonné.* L'amour est profondément égoïste, tandis que la maternité tend à multiplier nos sentiments. J'ai bien senti cette différence en lisant ta bonne, ta tendre lettre. Ton bonheur m'a fait envie en te voyant *vivre dans trois cœurs.* » (p. 365-366.)

C'est par la lettre que ce bonheur se communique. Chez Balzac, la lettre est un des rayons qui multiplient au loin la présence rayonnante. Il la plie à des fins qui lui sont propres : on reconnaît ici un des grands thèmes de la *Comédie humaine,* la vie par délégation. Les lettres deviennent des instruments de procuration. Par leurs lettres, les deux amies séparées se font vivre des vies supplémentaires, s'envoient des substituts d'existence. Renée d'abord, au moment où elle se replie sur un espace apparemment étroit, demande à l'amoureuse d'aimer à sa place : « Tu seras, ma chère Louise, la partie romanesque de mon existence. Aussi raconte-moi tes aventures, peins-moi les bals, les fêtes... Tu seras deux à écouter, à danser... » (p. 181) et « Tes lettres me font une vie passionnée au milieu de mon ménage si simple, si tranquille... » (p. 246.) Mais c'est ensuite au tour de Louise d'épouser la vie d'autrui; elle connaîtra la maternité par correspondance : « Si j'ignore les joies de la maternité, *tu me les diras, et je serai mère par toi.* » (p. 289.)

Voilà comment Balzac rend balzacienne une technique héritée et fait du roman par lettres une cantate à deux voix, un dialogue de vies à la fois mêlées et contrastées.

APPENDICE

BIBLIOGRAPHIE

La liste qui suit est celle des romans par lettres dont j'ai, directement ou indirectement, tenu compte. Les bibliographies existantes et les histoires du roman ne donnent généralement aucune indication précise sur le mode de présentation : récit, autobiographie à la première personne, forme épistolaire, etc... Aussi le seul établissement de l'inventaire des principaux romans par lettres à lire, avant d'en entreprendre l'étude, exige-t-il déjà d'assez longues recherches. Je crois donc utile de donner la liste des romans par lettres auxquels je me suis référé. Cette liste, qui n'est pas exhaustive, concerne la France; je n'y joins que les ouvrages étrangers qui, par leur diffusion et leur importance, ont pu agir sur le développement de la forme épistolaire en France. Je prends l'évolution du genre à partir de la fin du XVIIe siècle; pour la « préhistoire », on se reportera au livre déjà mentionné de Ch. Kany, *The Beginnings of the Epistolary Novel in France, Italy and Spain,* University of California Press, 1937. Je laisse de côté les préparations immédiates : romans parsemés de lettres, recueils de lettres dont les plus célèbres sont ceux de Guez de Balzac et de Voiture, ouvrages non romanesques empruntant la forme épistolaire : *l'Introduction à la vie dévote,* les *Provinciales,* le *Voyage en*

Limousin... Ce ne sont pas des romans, même si les *Provinciales* se trouvent déjà sur la voie qui y conduit.

XVIIe SIÈCLE

1667 D'AUBIGNAC. — *Le roman des lettres* (ce n'est pas encore un roman par lettres au sens strict, mais il s'en approche beaucoup : dans une maison de campagne deux amis trient, lisent ensemble les lettres d'un tiers, qui sont reproduites, puis commentées).
1669 GUILLERAGUES ? — *Lettres portugaises.*
1669 BOURSAULT. — *Lettres à Babet.*
1683 DU PLAISIR. — *Sentiments sur les lettres et sur l'histoire.*
1683 FONTENELLE. — *Lettres galantes du chevalier d'Her***.*
1684-86 MARANA. — *L'espion turc* (trad. fr.).
1689 Anne BELLINZANI. — *Histoire des amours de Cléante et de Bélise, avec le recueil de ses lettres.*
1697 BUSSY-RABUTIN. — *Lettres,* contenant les *Lettres d'Héloïse et d'Abailard* (écrites en 1687).
1699 BOURSAULT. — *Lettres nouvelles* contenant *Treize lettres amoureuses d'une dame à un cavalier.*

XVIIIe SIÈCLE

1719-20 MARIVAUX. — Lettres contenant une aventure.
1721 MONTESQUIEU. — *Lettres persanes.*
1731 MARIVAUX. — *Vie de Marianne.*
1732 CRÉBILLON. — *Lettres de la Marquise de M*** au Comte de R***.*
1739-40 D'ARGENS. — *Lettres chinoises.*
1742 RICHARDSON. — *Pamela* (date de la trad. franç., attr. à Prévost).
1747 Mme DE GRAFIGNY. — *Lettres d'une Péruvienne.*
1749 VADÉ. — *Lettres de la Grenouillère.*
1750 DAMOURS. — *Lettres de Ninon de Lenclos au Marquis de Sévigné.*
1751 RICHARDSON. — *Lettres anglaises ou Histoire de Clarisse Harlowe* (adaptation franç. de Prévost).
1755-56 RICHARDSON. — *Nouvelles Lettres anglaises ou Histoire du chevalier Grandisson* (adapt. fr. de Prévost).
1757 Mme RICCOBONI. — *Lettres de Mistriss Fanni Butlerd.*
1758 COLARDEAU. — *Lettres d'Héloïse à Abailard, traduction libre de M. Pope.*
1758 DORAT. — *Héloïse et Abailard, héroïde.*
1759 Mme RICCOBONI. — *Lettres de Milady Catesby.*
1760 DIDEROT. — *La Religieuse* (date de composition).
1761 ROUSSEAU. — *Julie, ou la Nouvelle Héloïse.*

1766 Mme Riccoboni. — *Lettres de la Comtesse de Sancerre.*
1768 Crébillon. — *Lettres de la Duchesse de *** au Duc de ***.*
1771 Crébillon. — *Lettres athéniennes.*
1771 Dorat. — *Les sacrifices de l'amour.*
1771 Smollett. — *The Expedition of Humphry Clinker.*
1772 Dorat. — *Les malheurs de l'inconstance.*
1774 *Lettres et épîtres amoureuses d'Héloïse et d'Abailard* (Recueil groupant les adaptations et versifications de Bussy, Beauchamps, Colardeau, Feutry, Dorat, etc.).
1774 Goethe. — *Die Leiden des jungen Werther.*
1776 Restif de la Bretonne. — *Le Paysan perverti ou Les dangers de la ville.*
1776 Restif de la Bretonne. — *La Paysanne pervertie.*
1782 Laclos. — *Les Liaisons dangereuses.*
1782 Mme de Genlis. — *Adèle et Théodore ou Lettres sur l'Education.*
1783 S. de Constant. — *Le mari sentimental.*
1784 Mme de Charrière. — *Lettres de Mistriss Henley.*
1784 » *Lettres neuchâteloises.*
1785 » *Lettres écrites de Lausanne.*
1791 Louvet de Couvray. — *Emilie de Varmont ou Le divorce nécessaire.*
1794 Mme de Souza. — *Adèle de Senange.*
1795 Senancour. — *Aldomen ou le Bonheur de l'obscurité.*
1797 Sénac de Meilhan. — *L'Emigré.*
1799 Mme Cottin. — *Claire d'Albe.*

XIXe SIÈCLE

1802 Foscolo. — *Le ultime lettere di Jacopo Ortiz.*
1802 Mme de Staël. — *Delphine.*
1803 Mme de Krudener. — *Valérie.*
1804 Senancour. — *Obermann.*
1819-20 Balzac. — *Sténie ou les Erreurs philosophiques* (date de composition ; roman resté inachevé).
1833 Musset. — *Le roman par lettres* (non publié du vivant de l'auteur).
1835 Gautier. — *Mademoiselle de Maupin.*
1841-42 Balzac. — *Mémoires de deux jeunes mariées.*
1845 Dostoiewski. — *Les pauvres gens.*
1846 Gautier, Méry, Sandeau, Mme de Girardin. — *La Croix de Berny.*
1846 Mérimée. — *L'abbé Aubain.*
1866 George Sand. — *Mademoiselle La Quintinie.*
1879 Henry James. — *A Bundle of Letters.*
1882 Henry James. — *The Point of view.*
1899 Gourmont. — *Le songe d'une femme.*

XXe SIÈCLE

1919 COLETTE. — *Mitsou ou Comment l'esprit vient aux filles.*
1936 MONTHERLANT. — *Les jeunes filles.*

*
* *

On complètera, pour l'Angleterre, à l'aide de l'ouvrage de F.G. Black, *The Epistolary Novel in the late 18th Century*, Eugene, 1940 ; pour l'Allemagne, avec E. Schmidt, *Richardson, Rousseau und Goethe*, Iena, 1875.

La thèse de Ch. Charrier, *Héloïse dans l'histoire et la légende*, Paris, 1933, fournit une bibliographie détaillée des nombreuses adaptations, traductions ou versifications des lettres d'Héloïse et d'Abélard parues au XVIIIe siècle, de Bussy-Rabutin à Pope et à Colardeau.

MADAME BOVARY
ou
LE LIVRE SUR RIEN

Un aspect de l'art du roman chez Flaubert : le point de vue

On parle aujourd'hui d'*anti-roman.* On en parlait déja au XVIIe siècle, Sorel appliquait le terme aux romans anti-romanesques conçus dans la tradition du *Don Quichotte.* Sartre a contribué à remettre le terme à la mode par sa préface au *Portrait d'un inconnu* de Nathalie Sarraute : « Les anti-romans conservent l'apparence et les contours du roman... Mais c'est pour mieux décevoir : il s'agit de contester le roman par lui-même, de le détruire sous nos yeux dans le temps qu'on semble l'édifier... »; il y a là un signe que « le roman est en train de réfléchir sur lui-même ».

Si on étend un peu le sens, on dira qu'il y a anti-roman quand le roman se sent mauvaise conscience, qu'il se fait critique et auto-critique, qu'il se met en état de rupture avec le roman existant; le roman entre en crise : crise aujourd'hui du personnage, crise de la « psychologie », crise enfin du sujet, qui tend de plus en plus à se distinguer de l'œuvre elle-même, ou à disparaître purement et simplement, — si l'on appelle sujet l'histoire, l'intrigue, le tissu d'événements, ce qui se passe. Robbe-Grillet l'avouait récemment : « Il y avait dans mon premier livre, *Les Gommes,* une intrigue de convention, calquée d'ailleurs sur Œdipe-Roi, et qui n'avait pour moi aucune importance; elle ne visait ni à la vraisemblance ni à l'authenticité. Les lecteurs de *La Jalousie* n'ont pas eu, eux non plus, à se demander ce qu'un tel roman contenait d'autobiographique; mais cette fois, c'était pour une raison encore plus évidente : il ne s'y passe rien — ou à peu près... [1] »

Mais, avant Robbe-Grillet ou Nathalie Sarraute, par ailleurs si différents l'un de l'autre, il y a eu le Gide des *Faux-Monnayeurs,* dont le protagoniste et le double, Edouard, déclarait : « Mon roman n'a pas de sujet », et Virgina Woolf, que George Moore mettait en garde : « Mrs Woolf, croyez-moi, vous ne parviendrez jamais à écrire un bon roman complètement dépourvu de sujet »; tel était pourtant son rêve, et qui dira qu'elle n'y est point parvenue ?

Peut-on remonter plus haut ? Les naturalistes semblent afficher d'analogues prétentions quand Goncourt déclare à Huret : « Ma pensée, en dépit de la vente plus grande que jamais du roman, est que le roman est un genre usé, éculé, qui a dit tout ce qu'il avait à dire, un genre dont j'ai tout fait pour tuer le *romanesque,* pour en faire des sortes d'autobiographies, de mémoires de gens qui n'ont pas d'histoire [2]. » Mais ce qui est condamné ici, et l'est en termes semblables par Zola et Huysmans, c'est l'intrigue et la fiction de la littérature antérieure, plutôt que le sujet, référence au monde réel, dont la doctrine naturaliste est fort éloignée de prononcer l'exclusion; il y eut pourtant des lecteurs, à l'époque, pour se plaindre d'une absence de sujet, comme on reprochait aux peintres impressionnistes de faire une peinture sans sujet.

En revanche, on a le droit d'invoquer ici Flaubert, pur romancier critique, nourri dès l'enfance du grand ancêtre de tous les anti-romans, *Don Quichotte*. On connaît son ambition déclarée dès l'époque où il travaille à *Madame Bovary :* « Ce qui me semble beau, ce

(1) *Prétexte.* Nouvelle série, n° 1, janvier 1958, p. 100.
(2) Huret, *Enquête sur l'évolution littéraire,* 1891, p. 168.

que je voudrais faire, c'est un livre sur rien, un livre sans attache extérieure..., un livre qui n'aurait presque pas de sujet ou du moins où le sujet serait presque invisible, si cela se peut. » (16.1.1852.) Et un peu plus tard : « Si le livre que j'écris avec tant de mal arrive à bien, j'aurai établi par le fait seul de son exécution ces deux vérités, qui sont pour moi des axiomes, à savoir : d'abord que la poésie est purement subjective, qu'il n'y a pas en littérature de beaux sujets d'art, et qu'Yvetot donc vaut Constantinople; et qu'en conséquence l'on peut écrire n'importe quoi aussi bien que quoi que ce soit. » (25-26.6.1853.)

Cette guerre déclarée au sujet depuis un siècle [3] montre assez que le roman n'a pas attendu 1950 pour se sentir en état de crise et de rupture; quand le « nouveau roman » de nos jours s'insurge contre le « roman traditionnel », il s'en prend à un roman qui était lui-même insurgé. Certes, les différences existent, non seulement entre les créations qu'abritent ces refus, ce qui est évident, mais aussi entre les modèles condamnés; le non-sujet des uns devient souvent le sujet que rejetteront les romanciers ultérieurs.

Il n'empêche que la recherche de Flaubert est aujourd'hui d'actualité; il est le premier en date des non-figuratifs du roman moderne. Même si le sujet — et la psychologie — de *Madame Bovary* jouent leur partie, en sourdine, dans le concert du roman, et n'en peuvent plus être détachés, on a le droit et peut-être le devoir de les mettre entre parenthèses et de dire, comme Flaubert à Goncourt : « L'histoire, l'aventure d'un roman, ça m'est égal ». Quand on se souvient de cette profession de foi si moderne : « Les œuvres d'art qui me plaisent par-dessus toutes les autres sont celles où *l'art excède*. J'aime dans la peinture, la Peinture; dans

(3) Qui nous empêcherait de remonter plus haut encore, au XVIIe siècle, à Mme de La Fayette présentant la *Princesse de Clèves* comme un roman sans romanesque, parce qu'il renonce aux procédés du roman antérieur : « Il n'y a rien de romanesque et de grimpé; aussi n'est-ce pas un roman; c'est proprement des mémoires... » ? (Lettre à Lescheraine, 13 avril 1678).

les vers, le Vers[4] », on est en droit de compléter : dans le roman, l'art du roman, le style du roman; et l'on se sent invité par Flaubert lui-même à lire *Madame Bovary* comme une sonate. Peut-être échappera-t-on alors au reproche qu'il adressait aux grands critiques de son temps : « Ce qui me choque dans mes amis Sainte-Beuve et Taine, c'est qu'ils ne tiennent pas suffisamment compte de l'*Art,* de l'œuvre en soi, de la composition, du style, de ce qui fait le Beau...[5] »

Il y a un fait de composition dont Flaubert ne parle pas expressément, mais qui a dû le préoccuper, à un degré de conscience difficile à évaluer, c'est le point de vue pris par le romancier sur les événements et les personnages à l'intérieur du roman. Impartialité et vue panoramique du témoin idéal ? Ce serait la solution attendue, pour qui se rappelle la volonté affichée par l'auteur de se faire, dans *Madame Bovary,* impersonnel et objectif; au surplus, c'était le mode de présentation normal dans le roman balzacien. Mais Flaubert ne croit pas à la connaissance impersonnelle : il n'y a pas de réalité objective, toute vision, toute perception est l'illusion propre à chacun, autant de « verres colorés » que de regards. Une telle expérience n'est-elle pas de nature à mettre en cause la position privilégiée de l'auteur omniscient doué du regard absolu de Dieu ?

I. — Un personnage introducteur : Charles Bovary.

On s'étonne d'abord de l'ordonnance générale du livre, qui exclut l'héroïne de l'ouverture et de l'épilogue; cet étonnement nous mène droit au problème du point de vue, des points de vue adoptés par Flaubert.

La disposition qui donne à Charles Bovary un poste central au début et à la fin était prévue dès les premiers scénarios, la seule modification survenue en cours de route concernant l'importance croissante prise par Homais dans les dernières pages. Or, ces deux person-

(4) *Corr.,* IV, 397.
(5) *Lettres à Tourguenieff,* février 1869, Monaco, 1946, p. 15.

nages, présentés de loin et de l'extérieur, personnages objets, consciences opaques, assurent au roman une entrée et une sortie où règne souverainement le point de vue de qui se met en lisière du spectacle, le considère de haut et à distance, et ne veut rien savoir des motivations secrètes de figures qu'il traite en pantins : l'entrée de Charles dans la classe, qui est son entrée dans notre champ visuel, assimilé à celui de ce curieux « nous » appelé à disparaître rapidement; et, à l'autre extrémité, en une symétrie savoureuse qui suffit à justifier l'adjonction aux plans initiaux, la sortie triomphalement bouffonne de l'apothicaire. Flaubert a placé là, aux deux portes de l'ouvrage où il prend contact et congé, le maximum d'ironie et de sarcasme triste, parce que c'est là qu'il regarde du regard le plus étranger. Le roman s'ordonne ainsi en un mouvement qui va de l'extérieur à l'intérieur, de la surface au cœur, de l'indifférence à la complicité, puis revient de l'intérieur à la périphérie. Chez Flaubert, le premier regard sur le monde est porté de loin, et n'en retient d'abord que le dehors, la croûte, le mécanique, le « grotesque » [6].

Mais il ne tarde pas à s'insinuer sous l'écorce. Si Homais, d'un bout à l'autre, reste vu du dehors, ce qui permettra de l'utiliser pour l'épilogue, il n'en est pas de même de Charles, dès ce préambule où, faisant avec lui un assez long chemin, l'auteur, et à sa suite le lecteur, se rapprochent du pantin, qui devient homme; un bref retour en arrière éclaire ses origines, son enfance, son adolescence; c'est le moyen d'entrer en relations de sympathie; on est cependant un peu surpris de se trouver soudain introduit dans son intimité, et rêvassant avec lui : « Dans les beaux soirs d'été..., il ouvrait la fenêtre et s'accoudait. La rivière... coulait en bas, sous lui... En face, au delà des toits, le grand ciel pur s'étendait, avec le soleil rouge se couchant. *Qu'il devait faire bon là-bas ! Quelle fraîcheur sous la*

(6) Par ex., l'arrivée en Egypte, *Corr.*, II, pp. 119, 121-2 : « Je suis monté dans la hune et j'ai aperçu cette vieille Egypte, etc... »

hêtrée...[7] » Pour un peu, on croirait à une méprise : cette aspiration devant la fenêtre, cette rêverie dans l'espace ouvert, Flaubert les attribuera normalement à son héroïne. Il n'a pu s'abstenir de cette menue preuve de complicité, de ce bref instant où il épouse la perspective de son personnage, qui prend figure provisoire de protagoniste et en retire quelques-uns des bénéfices. A vrai dire, cette pénétration est furtive, l'auteur reprend aussitôt ses distances; mais les brouillons donnent à cette place plusieurs pages de souvenirs et de rêves; presque tout en a été retranché; c'était nous rendre le personnage décidément trop proche et trop intérieur. Mais il n'a pas réussi à le traiter absolument en objet. Peut-être ne l'a-t-il pas voulu. C'est ici qu'apparaît la fonction de Charles Bovary et l'explication de sa présence dominante dans le préambule.

En effet, c'est dans le champ visuel de Charles que va surgir Emma; Charles servira de réflecteur jusqu'au moment où l'héroïne, progressivement introduite et acceptée, passera à l'avant-scène et deviendra centre et sujet; mais elle doit commencer, comme l'a fait son futur époux, par la condition subalterne de personnage objet et connu du dehors, avec cette différence qu'elle surgit sous un regard non pas critique mais ébloui, et dans le miroir d'une sensibilité avec qui le lecteur est familiarisé, en qui même il a été admis sporadiquement à pénétrer, en particulier à l'occasion des somnolences du médecin et de ses perceptions doubles lorsqu'il chevauche au petit matin vers la ferme des Bertaux, immédiatement avant la première apparition d'Emma. Flaubert se sert donc de Charles pour présenter Emma, et la faire voir telle que celui-ci la voit, épousant étroitement sa perspective, adoptant son angle de vue limité et sa vision subjective pour accompagner pas à pas la découverte qu'il fait de cette femme inconnue; se mettant derrière et parfois dans son personnage, il renonce à l'optique privilégiée de l'auteur omniscient pour ne

(7) *Madame Bovary*, I, p. 9. Toutes les références au roman renvoient à l'édition Dumesnil, Paris, Les Belles Lettres, 1945, 2 vol.

donner de son héroïne qu'une image provisoire, superficielle et successive [8].

Charles arrive à la ferme : « Une jeune femme, en robe de mérinos bleu garnie de trois volants, vint sur le seuil de la maison... »; une roble bleue, voilà ce qu'il aperçoit d'abord, et c'est aussi tout ce qui est donné à voir; une page plus loin, il remarque la blancheur de ses ongles, puis ses yeux; un peu plus tard, quand il cause avec elle, ce sont « ses lèvres charnues »; quand elle se tourne, c'est son chignon sur son cou, dessinant un mouvement « que le médecin de campagne remarqua là pour la première fois de sa vie » : au lieu du portrait à la manière de Balzac, ou, avant lui, de Marivaux, impliquant une vue globale et intemporelle exprimant le savoir non du personnage mais de l'auteur, Flaubert fait, ou plutôt fait faire par les perceptions pointillistes de son personnage en émoi, un portrait fragmentaire et progressif. D'autres entrevues viendront y ajouter d'autres touches, mais toujours aussi dispersées, parce que toujours dans la perspective confuse du soupirant.

Il arrive que les brouillons nous permettent de prendre sur le fait l'effort de Flaubert pour épouser cette vision et en respecter le caractère; ainsi, il écrit d'abord : « Elle n'avait pas de fichu, ni collerette, *ses épaules blanches étaient roses* [9]. » Belle notation impressionniste d'un effet de lumière dans une cuisine, en été, mais trop subtile pour Charles Bovary; Flaubert, s'effaçant comme auteur, en fait le sacrifice et la remplace par un constat mieux à la portée du personnage derrière lequel il se retranche : « on voyait sur ses épaules nues de petites gouttes de sueur. » (I, 23.) Il faut dire toutefois que cette prise en charge des bornes ou des myopies du personnage n'est pas rigoureuse, qu'on est

(8) On aurait avantage, si différentes et indépendantes l'une de l'autre que soient les méthodes de Flaubert et de Stendhal, à lire l'admirable *Stendhal et les problèmes du roman*, Paris, Corti, 1954, de Georges Blin, en sa deuxième partie : « Les restrictions de champ ».

(9) *Madame Bovary, Nouvelle version*, éd. Pommier-Leleu, Paris, Corti, 1949, p. 166.

assez loin du parti d'un Faulkner s'enfermant hermétiquement dans le monologue intérieur d'un idiot et que Flaubert — inconséquence ou refus d'un système — ne craint pas d'étoffer la vision normale de Charles, de même qu'il mettra parfois dans l'esprit d'Emma des réflexions ou une nuance d'ironie qui ne sauraient venir d'elle; le résultat obtenu sera souvent un compromis où se fondent de manière difficilement discernable les éclairages contradictoires de l'observateur externe et du regard intérieur. Flaubert n'hésitera même pas à commettre la « faute » si aigrement reprochée par Sartre à Mauriac, comme s'il était le premier coupable, de se tenir simultanément en dehors et à l'intérieur de la conscience de son personnage : « Quant à Charles, il ne chercha point à se demander pourquoi il venait aux Bertaux avec plaisir. » (I, 17), ou bien : « Etait-ce sérieusement qu'elle parlait ainsi ? Sans doute qu'Emma n'en savait rien elle-même... » (II, 81.)

Ce qui demeure indéniable, et visiblement intentionnel, c'est que, durant tout le préambule, Charles forme centre et projecteur, qu'on ne le quitte pas un instant et qu'Emma n'est vue qu'à travers lui, qu'on ne sait d'elle que ce qu'il en apprend, que les seuls mots qu'elle prononce sont ceux qu'elle lui dit et que nous n'avons pas la moindre idée de ce qu'elle pense ou sent réellement. Emma nous est montrée systématiquement de l'extérieur : ainsi le veut le point de vue de Charles. A cet égard, Flaubert procède avec la dernière rigueur. Il nous en donne même un signe extrême : au moment où la jeune fille prend la décision capitale de se marier, qui va engager son pauvre destin et tout le livre que nous allons lire, le romancier nous la cache; son dialogue avec son père, ses mouvements intimes, sa réponse, tout cela nous est présenté indirectement et à très grande distance, la distance à laquelle se tient Charles attendant derrière la haie que l'auvent de la fenêtre soit poussé contre le mur. Ce qu'elle pense de Charles et du mariage, ce qu'elle en attend, ce qui a dû se passer en elle durant cette demi-heure, nous ne le saurons un peu que par décalage et réfraction, plus tard, lorsque Flaubert se rapprochant d'elle nous ouvrira sa pensée. Mais, pour l'instant, elle reste encore le personnage objet contemplé de loin par Charles Bovary et dont nous ne connaissons, comme lui, que quelques traits d'un visage, quelques gestes, une robe.

Ce qu'il y a derrière cette apparence, ce qu'est en réalité cette jeune femme, nous le saurons bientôt, car l'optique va changer. Mais Charles n'en saura jamais beaucoup plus, elle sera toujours pour lui cette inconnue indéchiffrable qu'elle va cesser d'être pour nous, il continuera d'ignorer ce qui se cache derrière ce voile opaque, lui qui n'a pas le pouvoir du romancier de s'immiscer en elle. Dès le chapitre V, le pivot tourne lentement, celle qui était objet devient sujet, le foyer passe de Charles à Emma et le lecteur entre dans cette conscience qui jusqu'alors lui était close comme elle l'est pour Charles.

C'est là probablement qu'est la raison profonde du poste central concédé dans les premiers chapitres à l'officier de santé, ainsi que du respect constant de son point de vue, jusqu'aux plongées insolites dans son intimité : non seulement on voit ainsi surgir Emma à travers une sensibilité immergée dans le flux de la durée; mais, plus encore, cette disposition permet au lecteur d'éprouver de l'intérieur la forme de connaissance que Charles a, et aura toujours, de sa femme; le souvenir que ce lecteur prévenu en gardera par la suite, une fois Emma promue au centre, contribuera à éclairer et à épaissir l'univers romanesque où il s'enfonce.

***

II. — L'art des modulations.

Dès le chapitre VI, Emma glisse au centre, et ne le quittera plus, si ce n'est pour de brèves interruptions. Rien là d'exceptionnel. Balzac, adepte du traitement global et panoramique, se sert d'un personnage central, Rastignac par exemple, et développe son action autour de lui. L'originalité de Flaubert sera dans la combinaison du point de vue de l'auteur et du point de vue de l'héroïne, leur alternance et leurs interférences, et surtout dans la prédominance accordée à la vision subjective du personnage en perspective. Dès lors, le problème sera d'assurer les déplacements de point de vue et les passages d'une perspective à une autre sans casser le mouvement, sans rompre le « tissu de style ».

Témoin le passage de Charles à Emma, l'introduction graduelle, par paliers insensibles, du point de vue de l'héroïne. Le point de départ et le point d'arrivée de cet itinéraire sont indiqués par le retour d'un même objet soumis à deux regards différents : le jardin de Tostes. « Le jardin, plus long que large, allait, entre deux murs de bauge... jusqu'à une haie d'épine qui le séparait des champs. Il y avait, au milieu, un cadran solaire en ardoise...; quatre plates-bandes... Tout au fond, sous les sapinettes, un curé de plâtre lisait son bréviaire. » (I, 36.) Simple état des lieux, constat objectif des surfaces et des matériaux, tel qu'il peut émaner d'un tiers observateur[10], d'un regard sans vibration, — Robbe-Grillet dirait : sans complicité anthropomorphique avec les choses —; c'est qu'Emma vient d'entrer dans sa nouvelle maison et qu'elle n'est pour nous que l'étrangère en qui Flaubert ne nous a pas encore donné accès. Ce sera chose faite depuis longtemps quand, trente pages plus loin, il nous livrera du même jardinet la vision affective qu'en a son héroïne désenchantée, sensible maintenant à tout ce qui, dans les choses mêmes, trahit le dégoût, l'inertie, le délitement, le dépérissement : « La rosée avait laissé sur les choux des guipures d'argent avec de longs fils clairs qui s'étendaient de l'un à l'autre. On n'entendait pas d'oiseaux, tout semblait dormir, l'espalier couvert de paille et la vigne comme un grand serpent malade sous le chaperon du mur, où, l'on voyait, en s'approchant, se traîner des cloportes à pattes nombreuses. Dans les

(10) « Un tiers, qui les eût observés, vis-à-vis l'un de l'autre... », lit-on dans le brouillon, à ce moment-là. Edition Pommier-Leleu, p. 182.

sapinettes, près de la haie, le curé en tricorne qui lisait son bréviaire avait perdu le pied droit et même le plâtre, s'écaillant à la gelée, avait fait des gales blanches sur sa figure. » (I, 73.)

Entre temps, tout a changé, non seulement dans la condition et l'humeur de l'héroïne, mais dans la position du lecteur par rapport à l'héroïne. En un savant pivotement, le point de vue a tourné et le foyer visuel s'est progressivement confondu avec celui d'Emma : premier regard dans ses songes, puis analyse de sa formation sentimentale par retour en arrière, mais non encore telle qu'elle eût pu la faire elle-même, la main de Flaubert est partout visible; nouveau regard plus appuyé dans ses rêves d'une autre lune de miel : « Elle songeait quelquefois... », jusqu'à la longue rêverie sous la hêtrée (I, 49), cette fois toute subjective, avec tous les caractères de l'extase flaubertienne [11].

Henry James parle, à propos de l'un de ses romans, d'une « savante rotation d'aspects »; on pourrait appliquer l'expression à Flaubert. Il s'agit d'un art de la modulation des points de vue où il est passé maître, et dont il fait un constant usage. En effet, si Emma ne cesse d'occuper le foyer central du roman, Flaubert ne renonce pas cependant à lui substituer, parfois, pour de brefs intermèdes, un autre personnage dont il adopte un instant l'éclairage. Or, ces déplacements du point de vue ne sont pas une chose simple pour un auteur sensible à la moindre rupture de courant et bien décidé à ne pas recourir aux ficelles du romancier régisseur, qui abondent dans la première *Education*. C'est pourquoi, lorsque Flaubert abandonne momentanément le point de vue d'Emma pour prendre celui de Charles ou de Rodolphe, ou simplement pour faire venir à l'avant-scène l'un ou l'autre de ses comparses, il s'arrange à le faire sans couper le courant, par un système de liaisons en circuit fermé. Il faut donner un exemple de la méthode.

---

(11) Que Georges Poulet a merveilleusement analysée dans *La pensée circulaire de Flaubert*, N.R.F., 1er juillet 1955.

Au chapitre III de la deuxième partie, après l'arrivée à Yonville, Emma entre dans sa nouvelle maison; le lecteur l'y accompagne, il sent avec elle « tomber sur ses épaules, comme un linge humide, le froid du plâtre... »; ici, le romancier a diverses informations à fournir sur des personnages récemment introduits, Léon, Homais; pour cela, il faut se dégager de l'héroïne; comment le faire sans casser le fil ? En utilisant un regard d'Emma : « Le lendemain, à son réveil, *elle aperçut le clerc* sur la place... Léon attendit pendant tout le jour, etc... »; on a glissé de la sorte sur le clerc, que l'on accompagne un moment; du clerc, que M. Homais « considérait pour son instruction », on passe sans heurt au pharmacien, à ses mœurs, à son comportement à l'égard du nouveau médecin, ce qui permet d'enchaîner sur celui-ci : « Charles était triste; la clientèle n'arrivait pas... », en revanche, la grossesse de sa femme le réjouit; et c'est par le regard de Charles sur sa femme enceinte que Flaubert, bouclant le circuit, revient à Emma et achève heureusement sa ronde des points de vue : « Il la contemplait tout à l'aise... Emma, d'abord, sentit un grand étonnement. » Par la même occasion, en juxtaposant les pensées des conjoints, Flaubert souligne leur divergence. Il pourra être amené à renoncer à sa méthode des glissements insensibles pour mieux manifester, par une sorte de bond exceptionnel, ce strabisme de leurs regards, cette distance infinie qui les sépare, bien qu'assis ou couchés côte à côte : « Il se voyait déshonoré... Emma, en face de lui, le regardait; elle ne partageait pas son humiliation, elle en éprouvait une autre... » (II, 22; cf. aussi II, 34-35.) Mais, en règle générale, Flaubert met tous ses soins à moduler. Ainsi lorsque Rodolphe et Emma achèvent leur dernier dialogue nocturne, que le lecteur a vécu à travers la jeune femme : « A demain, donc, dit Emma dans une dernière caresse.

Et *elle le regarda* s'éloigner.

Il ne se détournait pas... Il était déjà de l'autre côté de la rivière et marchait vite dans la prairie.

Au bout de quelques minutes, Rodolphe s'arrêta... »

(II, 39.) Porté de nouveau par le regard d'Emma, le lecteur la quitte pour l'objet de ce regard, et accompagne dès lors Rodolphe, l'écoute penser, le voit écrire la lettre de rupture.

Cet art des modulations, ce goût si manifeste pour le fondu et les glissements [12] traduisent, sur le plan particulier qu'on examine dans ces pages, l'effort général de Flaubert vers ce qu'il appelle le *style*. Car le style, pour Flaubert, c'est un principe agglomérant, c'est la réduction à l'homogène. Ce qu'il prétend obtenir, c'est un « tissu » aussi serré, aussi uni que possible, c'est la continuité : « La continuité constitue le style, comme la constance fait la vertu [13]. » Quand il malmène un poème de Louise Colet ou de Lecomte de Lisle, c'est sur les inégalités, les « disparates de ton » ou de couleur que portent ses critiques. Ce qui fait à ses yeux la qualité d'une œuvre, ce ne sont pas les perles, mais le fil qui les tient ensemble; c'est le mouvement uniforme, la coulée. Travaillant à *Madame Bovary* et se relisant, il écrit à Louise Colet : « J'ai relu tout cela avant-hier, et j'ai été effrayé du peu que ça est... Chaque paragraphe est bon en soi, et il y a des pages, j'en suis sûr, parfaites. Mais précisément à cause de cela, *ça ne marche pas*. C'est une série de paragraphes tournés, arrêtés, et *qui ne dévalent pas les uns sur les autres*. Il va falloir les dévisser, lâcher les joints... [14] » C'est sur les joints que se concentre l'artiste, ces joints qui doivent être forts et souples, mais invisibles. Flaubert cimente avec un soin infini, et ne met pas moins de soin à enlever toute trace de ciment : « J'ai eu bien du ciment à enlever, qui bavachait entre les pierres, et il a fallu retasser les pierres, pour que les joints ne parussent pas [15]. »

---

(12) Cf. par exemple : « J'ai fait, je crois, un grand pas, à savoir la transition *insensible* de la partie psychologique à la dramatique... » *Corr.*, III, p. 423.

(13) *Corr.*, III, p. 401.

(14) *Corr.*, III, p. 92.

(15) *Corr.*, III, p. 264.

Les grosses roches, les grands ensembles pierreux ont toujours séduit l'imagination de Flaubert. En terminant son bel essai, J.-P. Richard montre bien qu'à la fluidité profonde de l'être flaubertien répond chez lui, dans la création, un effort vers la sédimentation, vers la pétrification qui sera réussi dans la mesure où il ne desséchera pas l'humidité, le plasma originel. Flaubert est fidèle à lui-même quand il se sert, pour désigner ce qui fait à ses yeux « la beauté », de l'image de la paroi entièrement lisse, du *mur nu;* on la rencontre dans une lettre de 1876, mais elle remonte à une expérience de jeunesse : « Je me souviens d'avoir eu des battements de cœur, d'avoir ressenti un plaisir violent en contemplant un mur de l'Acropole, un mur tout nu... Eh bien ! je me demande si un livre, indépendamment de ce qu'il dit, ne peut pas produire le même effet ? Dans la précision des assemblages, la rareté des éléments, *le poli de la surface,* l'harmonie de l'ensemble, n'y a-t-il pas une vertu intrinsèque, une espèce de force divine... ? [16] » Et ailleurs : « La prose doit se tenir droite d'un bout à l'autre, comme un mur... » Ce qui fascine Flaubert dans le mur, c'est le bloc sans fissure, la masse immobile et compacte, la « grande ligne unie » que ne rompt aucun accident, cette perfection du continu qu'assure, on vient de le voir, le fondu des passages modulés.

Cet idéal de la « ligne droite » et de la maçonnerie massive n'exclut pas, dans le tissu du roman, des variations de tonalité et de mouvement, des zones de plus ou moins grande vibration qui font le rythme, la palpitation du livre.

A cet égard, et pour s'en tenir toujours aux seules questions de foyer optique et de champ visuel, on remarquera le rôle joué dans *Madame Bovary* par les fenêtres. La présence fréquente de l'héroïne devant une fenêtre, que Léon Bopp a justement relevée, ménage de remarquables effets de perspective lointaine et de vue plongeante, qui correspondent à des phases de subjectivité maximum et d'extrême intensité.

(16) *Corr.*, VII, p. 294.

III. — Les fenêtres et la vue plongeante.

La Marie de *Novembre*, déjà, passait ses journées devant sa fenêtre : lieu de l'attente, vigie sur le vide d'où peut surgir le client, l'événement. La fenêtre est un poste privilégié pour ces personnages flaubertiens à la fois immobiles et portés à la dérive, englués dans leur inertie et livrés au vagabondage de leur pensée; dans le lieu fermé où l'âme moisit, voilà une déchirure par où se diffuser dans l'espace sans avoir à quitter son point de fixation. La fenêtre unit la fermeture et l'ouverture, l'entrave et l'envol, la clôture dans la chambre et l'expansion au dehors, l'illimité dans le circonscrit; absent où il est, présent où il n'est pas, oscillant entre le resserrement et la dilatation, comme l'a si bien montré Georges Poulet, le personnage flaubertien était prédisposé à fixer son existence sur ce point limitrophe où l'on peut se fuir en demeurant, sur cette fenêtre qui semble le site idéal de sa rêverie.

On lit déjà dans *Par les champs...* : « Ah ! de l'air ! de l'air ! de l'espace encore ! Puisque *nos âmes serrées étouffent et se meurent sur le bord de la fenêtre*, puisque nos esprits captifs, comme l'ours dans sa fosse, tournent toujours sur eux-mêmes et se heurtent contre ses murs, donnez au moins à mes narines le parfum de tous les vents de la terre, *laissez s'en aller mes yeux vers tous les horizons* [17] ».

Emma Bovary, captive elle aussi entre les murs de sa fosse, trouve devant sa fenêtre un essor « vers tous les horizons » : « elle s'y mettait souvent » (I, 145); à Tostes, c'est de sa fenêtre qu'elle regarde la pluie tomber, et se répéter les journées monotones du village; à Yonville, qu'elle voit passer le clerc de notaire, qu'elle aperçoit pour la première fois Rodolphe; c'est de la fenêtre donnant sur le jardin qu'elle entend tinter

(17) *Par les champs et par les grèves*, éd. Conard, p. 125-6.

l'angelus qui déclenche une velléité mystique, et que ses yeux se perdent dans les nuages ou sur les méandres de la rivière; c'est de la fenêtre du grenier qu'elle éprouve le premier vertige du suicide; et après sa grande maladie, quand elle reprend contact avec la vie, « on la poussait dans son fauteuil auprès de la fenêtre, celle qui regardait la Place... » (II, 54.) Fenêtres de l'ennui et de la rêverie.

Il y a d'autre part les fenêtres closes et les rideaux tirés, réservés aux rares moments où Emma, coïncidant avec elle-même et avec le lieu de son existence, n'a plus besoin de se diffuser dans l'illimité de la rêverie, mais se ramasse sur elle-même, dans la phase initiale et heureuse de ses passions : à Rouen, avec Léon, dans la « voiture à stores tendus..., plus close qu'un tombeau », puis dans la chambre d'hôtel où ils vivent enfermés toute la journée, « volets fermés, portes closes »; « atmosphère de serre chaude » dit un des scénarios. Il en avait été de même avec Rodolphe, lorsqu'Emma, au début de leur liaison, allait le surprendre à la Huchette, dans la pénombre que mettait en sa chambre « les rideaux jaunes, le long des fenêtres ». Mais cette première passion est habituellement une passion de plein air, forêt ou jardin; ici, pas de fenêtres du tout. Flaubert oppose de la sorte les caractères de ses deux amants, tout en se conformant à la signification des fenêtres dans son roman.

Conjointement à sa signification pour le personnage flaubertien, la fenêtre propose au technicien du découpage et de la mise en scène romanesque d'intéressantes ressources en prise de vue, dont Flaubert ne manque pas de se servir pour varier les perspectives de la narration et obtenir de curieux effets optiques. On pense aussitôt à ce brillant morceau « symphonique » des Comices, présentés dans la perspective de vision et d'écoute des futurs amants installés à la fenêtre de la mairie, au premier étage; la vue plongeante a un double avantage : elle sert d'abord à renforcer l'ironique éloignement avec lequel l'auteur traite le rassemblement agricole, et, par contre-coup, l'idylle qui s'y mêle en surimpression; elle traduit en outre le mouvement d'élévation qui caractérise l'entrée d'Emma dans la vie passionnelle; on le retrouve dans la phase suivante de l'intrigue. En effet, la même optique aérienne est utilisée peu après, lors de la promenade à cheval où se consomme l'affaire engagée aux Comices; on arrive au sommet d'une côte; Flaubert y ménage une vision panoramique du pays, image de celle qu'Emma prend en même temps de son existence : « Il y avait du brouillard sur la campagne. Des vapeurs s'allongeaient à l'horizon, entre le contour des collines; et d'autres, se déchirant, montaient, se perdaient. Quelquefois, *dans un écartement* des nuées, sous un rayon de soleil, *on apercevait au loin* les toits d'Yonville, avec les jardins au bord de l'eau, les cours, les murs, et le clocher de l'église. Emma fermait à demi les paupières pour reconnaître sa maison, *et jamais ce pauvre village où elle vivait ne lui avait semblé si petit.* » (I, 181.) L'entrée dans la passion se marque par une ascension au-dessus du niveau habituel de l'existence dont le site se résorbe et s'annule sous les yeux d'Emma; il faut qu'Yonville diminue dans un éloignement que la perspective aérienne rend infini pour que s'y substitue l'espace imaginaire de l'amour, dépeint ici comme une eau qui s'évapore : « De la hauteur où ils étaient, toute la vallée paraissait un immense lac pâle, s'évaporant à l'air. » Voilà ce qu'est devenu le village et ses maisons, en ce moment où l'auteur porte sur le monde le regard surplombant de son héroïne qui s'exalte : un mirage sans contours ni support.

Quand, quelques pages plus loin, Emma rêve le même soir à cette vie nouvelle qui vient de s'ouvrir pour elle, c'est encore en des termes où s'associent la hauteur et l'illimité, en opposition à « l'existence ordinaire », rejetée « tout bas », comme si la vue plongeante de l'après-midi avait passé tout entière dans le paysage intérieur de son esprit : « Elle entrait dans quelque chose de merveilleux où tout serait passion, extase, délire; une immensité bleuâtre l'entourait, les sommets du sentiment étincelaient sous sa pensée, et l'existence ordinaire n'apparaissait qu'au loin, tout en bas, dans l'ombre, entre les intervalles de ces hauteurs. » (I, 185.)

A ce point culminant au-dessus du village, Flaubert a réservé un autre emploi, vers la fin du roman, à un moment qui n'est pas moins décisif, mais de sens inverse. Mme Bovary a vu Rodolphe pour la dernière fois, elle revient à Yonville, éperdue, pour se donner la mort; ce n'est plus la montée vers l'extase passionnelle mais la descente, vers le suicide; au cours de cette marche hallucinée, à la nuit tombante, elle se trouve au sommet d'une côte, la même peut-être que naguère, au-dessus du village; elle sort brusquement de son extase tournoyante, « tout disparut. Elle reconnut les lumières des maisons, qui rayonnaient de loin dans le brouillard.

Alors sa situation, telle qu'*un abîme,* se représenta... *elle descendit* la côte en courant... » (II, 168.) Le retour de l'imaginaire au réel est une chute vers le village, qui, cette fois, sort du brouillard au lieu de s'y résorber; c'est une descente dans l'abîme.

Ainsi, au début et à la fin de cette odyssée amoureuse, en deux pages fort éloignées, mais symétriquement opposées, Flaubert place son héroïne au même lieu dominant, où il lui réserve la même perspective plongeante. Au lecteur attentif d'établir la relation et de sentir les richesses dont se charge un livre si fortement composé. De ce diptyque, il en rapprochera un autre, où le romancier combine l'emploi de la fenêtre et du véhicule (qui jouera un si grand rôle dans l'*Education*) : la double vue de Rouen, à l'arrivée et au départ de la diligence, lors des rendez-vous du jeudi avec Léon. Encore une vue plongeante : « Ainsi vu d'en haut, le paysage tout entier avait l'air immobile comme une peinture... » Et cette fois encore, dans le verre déformant de cette imagination soulevée par la passion toute proche, le paysage d'abord immobile bouge, palpite, se dilate. Mais on notera une importante différence : ce n'est plus sur Yonville et sa « vie ordinaire » que descend le regard d'Emma, mais au contraire sur le lieu où elle va vivre sa passion; aussi, bien loin de lui apparaître dans un éloignement qui le voile et le rapetisse jusqu'à l'annuler, le site de son désir, par un mirage inverse, sort de la brume et s'agrandit en une « capitale démesurée », à la seule mesure de l'espace grand ouvert devant elle : « Son amour s'agrandissait devant l'espace, et s'emplissait de tumulte aux bourdonnements qui montaient. Elle le reversait au dehors, sur les places, sur les promenades, sur les rues, et la vieille cité normande *s'étalait à ses yeux comme une capitale démesurée, comme une Babylone où elle entrait.* » (II, 112.)

Fenêtres et perspectives plongeantes, ouvertures sur le lointain et rêveries dans l'espace, autant de points névralgiques du récit, de nœuds où le cours narratif s'arrête; elles correspondent à des prises de vue très singulières, où le romancier résigne ses droits divins traditionnels, où se met à dominer la vision subjective, où l'auteur s'identifie au maximum avec son héroïne, se place derrière elle et regarde à travers elle. Leur répartition dans le roman est significative. Elles sont inégalement distribuées, absentes des phases actives, où la passion se consomme, elles se multiplient dans les périodes de stagnation et d'attente : à Tostes, après l'invitation au château, où l'on voit pour la première fois Emma, le bal fini, ouvrir la fenêtre et s'y accouder [18]; c'est le temps de la rêverie qui commence, et qui ne cesse plus, à Tostes aussi bien qu'à Yonville, jusqu'au moment où elle se met à vivre sa grande passion, revient à son mari, s'en éloigne à nouveau après l'épisode du pied bot, prépare sa fuite, fait des achats et

(18) On sait que Flaubert a fait à cette place de considérables retranchements : la promenade de la jeune femme, à l'aube, dans le parc et sa longue contemplation de la campagne à travers une fenêtre aux verres colorés (éd. Pommier-Leleu, p. 216-217). C'est grand dommage. Flaubert attachait pourtant de l'importance à ces pages, et on le comprend. C'est une parfaite illustration de la vision subjective; vu à travers des verres différemment colorés, le même paysage ne change pas seulement de couleur, mais de forme, de dimensions, de relations entre les plans, et enfin de tonalité affective. Ainsi Emma verra-t-elle le monde à travers sa passion, à travers les diverses couleurs que prendra sa passion.

des dettes. Après ces chapitres d'action et de mouvement accéléré, la rupture avec Rodolphe introduit un nouvel adagio, un nouveau temps d'inertie et de stagnation, annoncé cette fois encore par une fenêtre qui s'ouvre devant l'héroïne, mais dans un esprit plus tragique, avec le vertige et la perte de conscience préfigurant le dénouement, la fenêtre du grenier où elle lit la lettre de rupture : « En face, par-dessus les toits, la pleine campagne s'étalait à perte de vue... » C'est qu'elle va se reprendre à désirer ou à regretter, à se dilater hors de ses limites, à « flotter » dans un milieu aérien qui est celui de sa rêverie et de ses perspectives plongeantes : « elle se tenait tout au bord, presque suspendue, entourée d'un grand espace. Le bleu du ciel l'envahissait... [19] »

Mais à ces envols périodiques que sont les rêveries devant la fenêtre succède toujours une retombée : « Ma femme ! ma femme ! cria Charles... Et il fallut descendre ! il fallut se mettre à table ! » (II, 46-47.) Envol et chute, c'est le mouvement qui rythme l'œuvre comme la vie psychologique de l'héroïne; ainsi, au début du chapitre VI de la seconde partie, la fenêtre ouverte et le tintement de l'angelus provoquent le vagabondage dans les souvenirs, et l'ascension, le suspens sans poids que traduisent des images de vol, de plume qui tournoie : « elle se sentit molle et tout abandonnée, comme un duvet d'oiseau qui tournoie dans la tempête... »; puis, revenue de l'église, « elle *se laissa tomber* dans un fauteuil », réabsorbée par l'univers lourd et clos de la chambre, par la fixité du temps répété et des objets immobiles, par la présence opaque d'êtres qui « sont là » comme des meubles : « les meubles à leur place semblaient devenus plus immobiles..., la pendule battait toujours... entre la fenêtre et la table à ouvrage, la petite Berthe était là... Charles parut. C'était l'heure du dîner... » Renouer avec l'existence, après les heures d'envol vers l'au-delà des

(19) Dans le brouillon : « Elle allait flotter dans le vide pour s'anéantir... », éd. Pommier-Leleu, p. 444.

fenêtres, c'est toujours tomber, retomber dans la réclusion.

Ce double mouvement commande d'autres pages essentielles, comme la phase centrale des Comices, où Emma remuée par une odeur de pommade et la vue « au loin » de la diligence, mêle en une sorte d'extase les amants et les époques, avant de retourner vers le bas : la foule sur la place, les phrases de l'orateur officiel; ou comme cette autre extase, de même nature amoureuse, ouvrant la liaison avec Léon de la même manière que la précédente ouvrait la passion pour Rodolphe : la représentation à l'opéra de Rouen. La loge d'où Emma voit la salle puis la scène « d'en haut » est un avatar de la fenêtre, une nouvelle combinaison de l'enclos et de l'ouverture sur une étendue où se profile un destin imaginaire; ici, ce n'est pas elle qui se le joue, on le lui joue sur la scène, mais elle ne tarde pas à s'y reconnaître, à s'identifier à la jeune première, à désirer comme elle « *s'envoler* dans une étreinte », à voir dans le chanteur un autre Rodolphe : « une folie la saisit; il la regardait, c'est sûr ! Elle eut envie de courir dans ses bras..., de s'écrier « Enlève-moi ! »... Le rideau *se baissa*... et *elle retomba* dans son fauteuil... » (II, 69.) La brutale rupture du rêve et de la perspective aérienne s'accompagne, après l'envol, de l'inévitable rechute dans l'étroitesse; Flaubert insiste à cette occasion sur l'épaisseur de l'air et l'occlusion de l'espace : « L'odeur du gaz se mêlait aux haleines; le vent des éventails rendait l'atmosphère plus étouffante. Emma voulut sortir; la foule encombrait les corridors, et elle retomba dans son fauteuil avec des palpitations qui la suffoquaient. »

Comment ne pas pressentir l'agonie de la jeune femme, haletante et oppressée, demandant pour la dernière fois : « Ouvre la fenêtre... j'étouffe » ? (II, 170.) Dans cette vie, chaque extase est suivie d'une petite mort ; la mort ultime consonne harmonieusement avec celles qui l'ont précédée et préfigurée.

Toutes ces rêveries d'Emma, ces plongées dans son

intimité, qui sont les moments où Flaubert confond le plus étroitement son point de vue avec l'angle de vision de son héroïne, abondent, très logiquement, dans les phases d'inertie et d'ennui qui sont aussi les adagios du roman, où le temps se vide, se répète, semble s'immobiliser. Ce sont les mouvements les plus beaux et les plus neufs de l'œuvre, et ce sont en même temps les plus flaubertiens; ce sont ceux où Flaubert abandonne dans une large mesure la vision objective de l'universel témoin.

En revanche, quand l'action doit avancer, qu'il y a des faits nouveaux à produire, l'auteur retrouve ses droits souverains et son point de vue panoramique, reprend ses distances, peut présenter de nouveau des vues extérieures sur son héroïne. C'est notamment le cas, on l'a noté, au début et à la fin du roman, ou dans les premiers chapitres d'une nouvelle partie; les recommencements exigent la présence du régisseur qui monte les décors tout en introduisant les acteurs; telle est, au début de la seconde partie, la grande scène d'auberge, à Yonville, ou, pour ouvrir la troisième partie, la conversation d'Emma et de Léon dans la chambre d'un hôtel à Rouen, le rendez-vous à la cathédrale, la randonnée en fiacre. Ici, Flaubert profite de cet éloignement momentané de l'héroïne pour accroître encore la distance et obtenir un surprenant effet de prise de vue : les nouveaux amants sont dans le fiacre, rideaux baissés, mais le lecteur n'y est pas admis avec eux; si les pages précédentes lui refusaient l'accès dans l'âme de la protagoniste, il voyait du moins des gestes et des attitudes, il entendait des paroles; ici, cela même lui est retiré, il ne voit plus rien et ne peut que suivre de loin cette voiture qui roule devant lui; il est ravalé, durant cet épisode pourtant décisif, au point de vue le plus indifférent, celui des bourgeois de la ville pour qui cette femme n'est qu'une inconnue; et c'est sous cet éclairage, pour lui d'autant plus insolite qu'il a été et sera admis à des plongées dans sa conscience, qu'il la voit finalement sortir du fiacre : « et *une femme* en descendit qui marchait le voile baissé, sans détourner la tête. » (II, 91.) Effet d'autant plus saisissant qu'en raison même de cette intimité prolongée, nous devinons tout ce qui se cache derrière ce voile baissé.

Un effet de lointain du même ordre est ménagé un peu plus tard par le point de vue que l'auteur nous fait prendre pour assister à la démarche d'Emma aux abois chez Binet, du haut du grenier où sont montées les deux voisines curieuses; on voit à distance, on entend à peine, on en est réduit à deviner, à interpréter des gestes, des attitudes; c'est une scène de cinéma muet. On peut supposer que Flaubert, qui nous a fait accompagner de très près son personnage dans les heures précédentes et vivre son drame de l'intérieur, est si sûr de notre participation qu'il s'est permis ce brusque décrochement pour nous arracher à notre complicité et nous présenter un instant l'héroïne telle qu'elle apparaît au regard étranger du témoin et du juge de l'extérieur. Sitôt après, nous la perdons même de vue, comme les commères, qui la voient disparaître au fond de la rue en direction du cimetière et se perdent en suppositions; sur quoi, par un nouveau coup de force, le romancier nous ramène brutalement auprès d'Emma arrivant chez la nourrice et nous fait, pour ainsi dire, retomber dans sa conscience. Ces manipulations violentes du lecteur, conformes au pathétique de cette phase du récit, le surprennent d'autant plus qu'elles ne sont pas dans la manière habituelle de Flaubert qui a procédé le plus souvent, tout au long du roman, par glissements et modulations insensibles.

***

L'importance prise dans le roman de Flaubert par le point de vue du personnage et sa vision subjective aux dépens des faits enregistrés de l'extérieur a pour conséquence d'augmenter considérablement la part des mouvements lents, tout en réduisant celle de l'auteur témoin qui résigne une part variable[20] de ses droits d'observateur impartial.

Lenteur et perspective du personnage, tels sont probablement les caractères les plus neufs et la profonde originalité de Flaubert, romancier de la vision intérieure et de l'immobilité. Or, ce sont précisément ces vertus admirables et tellement siennes que Flaubert ne découvre qu'en tâtonnant, selon une démarche plus instinctive que volontaire, et non sans quelque inquiétude. Pas d' « action », pas de « mouvement », constate-t-il dans ses lettres; « cinquante pages d'affilée où il n'y a pas un événement ». S'il s'inquiète d'abord à voir la figure que prend son livre un peu malgré lui, c'est qu'il pense à ce qu'était le roman avant lui, à Balzac surtout chez qui tout était mouvement, action et drame. Puis il en prend son parti : « Il faut chanter dans sa voix; or la mienne ne sera jamais dramatique ni attachante. Je suis convaincu d'ailleurs que tout est affaire de style, ou plutôt de tournure, d'aspect[21]. » Il fera effort pour équilibrer au moins l'action et l'inaction, l'événement et le rêve : « J'aurai fort à faire pour établir une proportion à peu près égale entre les aventures et les pensées[22]. »

Il n'y parviendra jamais tout à fait[23], et c'est tant

---

(20) En complément indispensable de ces réflexions, on lira les pages excellentes d'Erich Auerbach dans *Mimesis*, Francke, Berne, 1946, p. 428 ss, montrant que c'est à la fois Emma qui voit et l'écrivain qui parle.

(21) *Corr.*, III, p. 86.

(22) *Corr.*, III, p. 394.

(23) On constate au contraire, en comparant les scénarios et le texte, que Flaubert, loin d'accroître dans ses romans la charge d'action, a plutôt tendance à l'alléger en cours de route; dans les premiers scénarios, Emma se donnait à Léon avant sa liaison avec Rodolphe; de même, pour l'*Education*, il avait d'abord prévu que Mme Arnoux deviendrait la maîtresse de Frédéric (cf. M. J. Durry, *Flaubert et ses projets inédits*, Paris, Nizet, 1950, p. 137 ss). Il y renoncera en cours de route.

Dans la *Première éducation*, Henry et Mme Renaud s'enfuient et vivent au loin la vie qu'ils avaient rêvée; dans *Madame Bovary*, Flaubert supprime le voyage et n'en laisse subsister que le projet, Emma ne fait qu'un voyage imaginaire; l'événement tombe au profit du rêve de l'événement.

mieux; la pente de son talent et la nature de sa rêveuse héroïne s'y opposaient. Il est dans le génie flaubertien de préférer à l'événement son reflet dans la conscience, à la passion le rêve de la passion, de substituer à l'action l'absence d'action et à toute présence un vide. Et c'est là que triomphe l'art de Flaubert; le plus beau dans son roman, c'est ce qui ne ressemble pas à la littérature romanesque usuelle, ce sont ces grands espaces vacants; ce n'est pas l'événement, qui se contracte sous la main de Flaubert, mais ce qu'il y a entre les événements, ces étendues stagnantes où tout mouvement s'immobilise. Le miracle, c'est de réussir à donner tant d'existence et de densité à ces espaces vides, c'est de faire du plein avec du creux [24]. Mais ce renversement impliquait une autre subversion : celle qui, dans le récit objectif à la 3e personne, laisse grandir la part faite à la perspective du personnage et à l'optique de sa « pensée », où tout l'essentiel se passe.

Flaubert est le grand romancier de l'inaction, de l'ennui, de l'immobile. Mais il ne le savait pas, ou ne le savait pas encore clairement, avant d'avoir écrit *Madame Bovary;* il le découvre en composant son roman, et non sans quelque angoisse.

Il nous révèle par là, ou nous confirme, ce qui est peut-être une loi de la création : on n'invente que dans l'insécurité; le neuf est inquiétant, et le premier geste du découvreur est un geste de refus. Mais c'est dans cette recherche tâtonnante et inquiète qu'il trouve ce qui est vraiment son bien propre. C'est en composant qu'il se reconnaît. Ce qui vérifie une autre loi de la création : même chez un artiste aussi volontaire que Flaubert, aussi persuadé que tout est dans la conception et le plan, l'invention est liée à l'exécution; l'œuvre achève de se concevoir dans les opérations qui la réalisent.

---

(24) « Es geschieht nichts, aber das Nichts ist zu einem schweren, dumpfen, drohenden Etwas geworden. » Auerbach, *op. cit.*, p. 434.

PROUST. A LA RECHERCHE DU TEMPS PERDU

« ... Ce monde unique, fermé, sans communication avec le dehors qu'est l'âme du poète... Le moi de l'écrivain ne se montre que dans ses livres [1]. » « Entre ce qu'une personne dit, et ce qu'elle extrait par la méditation des profondeurs où l'Esprit nu gît, couvert de voiles, il y a un monde [2]. » En termes différents, Proust pense comme Flaubert : entre le poète et l'homme il y a un hiatus, celui qui crée n'est pas celui qui vit. Cette conviction anime tout le *Contre Sainte-Beuve* avant d'être l'armature de la *Recherche du temps perdu;* elle soutenait maintes pages de la Correspondance de Flaubert qui reprochait déjà au même Sainte-Beuve de confondre l'auteur et son œuvre.

Mais ce qui distingue profondément deux artistes si proches par leur esthétique, c'est que Proust fera de cette esthétique le sujet réel de son œuvre romanesque : l'histoire d'un homme qui fait la découverte et l'expérience de cette esthétique. Il s'y essayera dès l'âge de 25 ans avec *Jean Santeuil,* qui le montre en possession non seulement de ce qu'on appellera sa « révélation psychologique », mais aussi de sa réponse personnelle au problème de la création. Ce problème se posait pour lui dans les termes suivants : puisque l'art est auto-

---

(1) *Contre Sainte-Beuve,* p. 142 et 143.
(2) *Corr. gén.,* III, 47.

nome, comment passer de la vie à l'art, comment faire d'un homme un créateur ? On connaît sa réponse : par un acte de la mémoire, d'une certaine mémoire involontaire. Cette solution est nettement entrevue dans *Jean Santeuil* : « ... n'écrire que quand un passé ressuscitait soudain dans une odeur, dans une vue... et quand cette joie me donnait l'inspiration. » (II, 233.) En outre, l'auteur de *Jean Santeuil* a déjà mis en place le dispositif général qui sera celui de la *Recherche* : d'un côté de grands artistes, pour le moment des écrivains et des poètes à l'exclusion des peintres et musiciens qui prendront par la suite une si grande importance; de l'autre, des amateurs d'art ou des mondains inaptes à l'art; et entre deux, le héros attiré par les créateurs, mais incapable de créer, donc de sortir du groupe des mondains et amateurs.

Si le Proust de *Jean Santeuil* a déjà en mains les données fondamentales de son œuvre, pourquoi s'est-il découragé et a-t-il abandonné son manuscrit ? C'est que l'expérience la plus intense, la plus originale, tout indispensable qu'elle est, ne suffit pas à elle seule à constituer une œuvre. Inhabile à construire, incapable d'intégrer organiquement art et mémoire, Proust ne fait qu'une mosaïque, le roman raté d'une vocation ratée. Dans ce livre trop autobiographique, il ne réussit pas à opérer la séparation, les « métamorphoses » qu'il sait pourtant « nécessaires... entre la vie d'un écrivain et son œuvre, entre la réalité et l'art » [3]. Aussi manque-t-il à ce premier état de la *Recherche* la composition, le mouvement homogène, la structure qui soit en accord avec la découverte tâtonnante et progressive que le héros fait de sa vérité, il lui manque tout ce qui fera la réussite du roman définitif.

On comprend donc sans peine que Proust ait tellement insisté, dans les années qui suivirent la parution des premiers volumes de la *Recherche*, sur l'unité de la composition maintenue avec une « rigueur inflexible

(3) *Jean Santeuil*, I, 54.

bien que voilée » : « mon livre est un ouvrage dogmatique et une construction[4]. » Quand il lui arrive de publier un fragment en revue, il supplie qu'on ne le juge pas là-dessus, car c'est « informe »; il voudrait qu'on lût d'une haleine une œuvre dont il sent fortement, en dépit des vicissitudes du travail, la continuité profonde : chaque partie « n'a de sens qu'à sa place dans l'ensemble »; faute de voir cet ensemble, on méconnaîtra les correspondances et les symétries : « ce sera comme les morceaux dont on ne sait pas qu'ils sont des leit-motive quand on les a entendus isolément au concert dans une ouverture... [5] »; la même image wagnérienne de la composition par leit-motiv reparaît dans la *Prisonnière,* quand le héros joue au piano la partition de *Tristan.* Une autre lettre recourt à l'image de la cathédrale : « quand vous me parlez de cathédrale, je ne peux pas ne pas être ému d'une intuition qui vous permet de deviner ce que je n'ai jamais dit à personne... : c'est que j'avais voulu donner à chaque partie de mon livre le titre : *Porche, Vitraux de l'abside,* etc..., pour répondre d'avance à la critique stupide qu'on me fait de manquer de construction dans des livres où je vous montrerai que le seul mérite est dans la solidité des moindres parties... [6] »

De fait, ce roman, qui peut paraître touffu à la première lecture, trahit à la seconde ou à la troisième une structure savante et subtile. Mais il y a plus : c'est

---

(4) *Correspondance Marcel Proust - Jacques Rivière (1914-1922),* p.p. Ph. Kolb, Paris, 1955, p. 1.

(5) Lucien Daudet, *Autour de soixante lettres de Marcel Proust,* Paris, 1929, p. 76. Cf. également p. 71-72.

(6) Lettre de 1919 à Gaigneron, citée dans Maurois, *A la recherche de Marcel Proust,* Paris, 1949, p. 175.

Nombreux sont les textes de Proust dans le même sens; par exemple : « La ligne architectonique déjà assez complexe par elle-même... » (à Martin-Chauffier, *Corr. gén.,* III, 300); « Je n'ai qu'un souci qui est la composition » (*ibid.,* p. 278). Voir aussi la lettre du 6 mars 1914 à Gide : « Ayant mis tout mon effort à composer mon livre, et ensuite à effacer les traces trop grossières de composition... ».

Cf. également R. Vigneron, *Structure de Swann,* « Modern Philology », 1946 et 1947.

souvent cette structure même qui en révèle ou en précise la signification. La *Recherche* est de ces œuvres dont on peut dire que leur contenu est dans leur forme.

I. — Le cercle refermé.

Quand il voulait donner un exemple de cette rigueur de composition, Proust faisait remarquer — ou plutôt il annonçait, car le roman n'était encore qu'à demi publié — que le commencement et la fin se recouvraient avec précision; il ouvrait en même temps un jour précieux sur l'histoire secrète de son livre : « On méconnaît trop en effet que mes livres sont une construction, mais à ouverture de compas assez étendue pour que la construction, rigoureuse et à quoi j'ai tout sacrifié, soit assez longue à discerner. On ne pourra la nier quand la dernière page du *Temps retrouvé* (écrite avant le reste du livre) se refermera exactement sur la première de Swann [7]. » Et pour Souday qui parlait de chaos, il ajoute cette précision importante : « *Le dernier chapitre* du dernier volume a été écrit tout de suite après le *premier chapitre* du premier volume. Tout l'entre-deux a été écrit ensuite. » (18.12.1919.) Il y revient encore à la fin de son article mémorable sur Flaubert : « ... le morceau symétrique d'un premier morceau, la cause et l'effet » se trouvent « à un grand intervalle l'un de l'autre » [8]. L'œuvre décrirait donc, à en croire ces aveux précis et répétés de l'auteur, une grande boucle; elle formerait un cercle à long rayon qui se ferme sur lui-même. En quoi consiste exactement cette forme circulaire ? Et quelle est sa signification ?

Il y a d'abord ce fait qu'on a souvent relevé, que Proust lui-même a souligné : les dernières pages reprennent systématiquement les motifs et les situations esquissés dans les premières, ou pour être plus

---

(7) B. Crémieux, *Du côté de Marcel Proust*, Paris, 1929, chap. V.
(8) *Chroniques*, Paris, 1927, p. 210.

précis, non pas les toutes premières, qui constituent un préambule dont je reparlerai, mais celles qui suivent immédiatement : la soirée d'enfance à Combray, germe d'une destinée parvenue maintenant à son accomplissement, cette soirée marquée par l'arrivée de Swann, le tintement de la clochette du portail que le héros entend encore au fond de lui-même comme si elle n'avait jamais cessé d'y retentir (signe de sa permanence intérieure), l'attente du baiser maternel, la lecture de *François le Champi*, le premier roman dont il ait eu connaissance et qu'il vient de retrouver dans la bibliothèque du prince de Guermantes au moment où il va s'atteler à une œuvre qui, tout en tenant un peu du roman, sera tout autre chose : l'histoire d'un esprit et son salut par la création.

Tout cela est très évident, comme sont évidents aussi les rappels de l'église Saint-Hilaire, première image d'une œuvre dont le temps constitue la quatrième dimension, ou les évocations des deux « côtés » jadis incommunicables et qui se rejoignent finalement aux yeux de celui qu'une radicale conversion a doté d'un nouveau point de vue.

Mais il y a plus : ce ne sont pas seulement quelques pages et quelques motifs qui se tendent la main pardessus toute la masse de la *Recherche*, c'est le premier et le dernier *chapitre* dans leur ensemble. Quand Proust emploie le mot « chapitre », on peut le prendre à la lettre; ce sont la première et la dernière partie, « Combray » et la « Matinée chez la Princesse de Guermantes », qui se superposent et se répondent organiquement [9].

D'abord « Combray ». On sait que ce chapitre est construit sur deux plans successifs, qu'introduisent deux seuils, ou, pour reprendre un terme de Proust luimême dans son article sur Flaubert, deux « jointures », deux articulations aptes à ménager des changements

(9) C'est-à-dire la *Première partie. Combray*, éd. Pléiade, t. I, jusqu'à la page 187, et la fin du t. III, pp. 854 à 1048, celle-ci correspondant au dernier volume de l'ancienne édition blanche de la N.R.F.

de palier. Ces deux paliers répondent à des plans différents de souvenirs; aussi les seuils ou « jointures » qui les préparent sont-ils des phénomènes de mémoire, distincts dans leur nature comme ils le sont dans leurs effets.

Le premier, ce sont les demi-réveils nocturnes du préambule, qui rejettent le dormeur d'abord dans les diverses chambres qui seront les lieux principaux du roman, présentés d'emblée dans une sorte de raccourci, ensuite dans la chambre de sa petite enfance. Ainsi se trouve restituée une part de Combray, mais une part seulement, le drame du coucher; le Combray que ressuscitent les réveils nocturnes, c'est celui-là, mais celui-là seul. Ce premier mode de réminiscence est en quelque sorte stéréotypé et partiel, la mémoire en activité dans cette circonstance est une mémoire incomplète; ce premier seuil est donc inapte à donner accès à un passé total et vivant. Il y faudra un autre instrument, un autre mode de réminiscence, qui ne peut être que le fait d'un hasard ou plutôt d'une grâce, d'un de ces « ressouvenirs inconscients » sur lesquels Proust fonde toute son œuvre. Telle est la fonction de l'épisode de la madeleine qui, du point de vue de la composition, n'a d'autre fin que de nous faire « passer d'un plan à un autre plan » : « Et tout d'un coup le souvenir m'est apparu... »; au lieu du « pan tronqué », seul restitué auparavant, « l'édifice immense du souvenir », toute l'existence oubliée de Combray, « tout cela qui prend forme et solidité, est sorti, ville et jardins, de ma tasse de thé ». Dès lors, comme si un moteur secret était déclenché, le passé réel est retrouvé dans sa totalité vivante, et tout le chapitre de Combray a son droit d'entrée dans le livre. Mais il y a fallu ces deux seuils, ces deux « jointures » de valeur et d'efficacité inégales et progressives.

Ce n'est pas tout : si ces deux phénomènes de mémoire sont les pivots sur lesquels s'articule toute la construction de « Combray », ils ont encore, et simultanément, une autre destination, plus lointaine mais non moins précise; ils jouent un double rôle, l'un immédiat au sein de ce premier chapitre, l'autre à longue portée, « à large ouverture de compas », dans l'économie globale de l'œuvre. Cette seconde fonction assure le rapport de l'ouverture au dénouement, de la « cause » à l'« effet » : aux deux « jointures » de *Combray* correspondent les deux révélations décisives du *Temps retrouvé*, qui sont les deux pivots autour desquels s'organise lui aussi, dans sa symétrie voulue, le dernier chapitre de la *Recherche*. Or la double révélation finale, les pavés inégaux et la fête masquée, c'est encore un double phénomène de mémoire. Cette nouvelle fonction constructive des demi-réveils et de la madeleine nous amène donc à les considérer non plus comme seuils ou comme agrafes dans la composition de *Combray*, mais dans leur rapport à ce qui forme l'expérience centrale du héros, l'expérience du temps.

1. — *Les demi-réveils :* le temps et l'espace se rompent autour du dormeur qui sort du sommeil, il ne sait plus où il est, ni à quel moment de sa vie; le lieu actuel perd son « immobilité », l'instant présent se trouve brouillé et disloqué par « ces évocations tournoyantes et confuses »; on ne sait plus qui on est, « on n'est plus personne », dira Proust dans *Guermantes*, où le thème du réveil est repris. C'est que, dans cette amnésie qu'est le sommeil profond, le dormeur a perdu son centre de continuité, il a perdu son moi; autour de lui « tourbillonnent » non seulement le temps et les lieux, représentés par ses multiples chambres, mais tous ses moi successifs et désorbités. Cette expérience du dormeur éveillé qui ouvre le roman, c'est donc celle de la discontinuité et de l'intermittence. Le temps est éprouvé comme une force qui divise et projette l'être loin de lui-même : une force centrifuge; arrachant la personne à son unité intérieure, elle la tourne vers l'extérieur; c'est pourquoi elle la rend incapable d'une saisie en profondeur de son moi et de son passé.

2. — *L'extase de la madeleine :* il s'agit cette fois d'un homme bien éveillé, mais qui vit dans l'accablement une journée sans joie et sans signification, un moment épars de cette vie « informe » où il a le senti-

ment de ne pas être, d'errer dans l'irréalité parce qu'il est en dehors de lui-même. Et soudain éclate en lui une « joie » inconnue et inexplicable, sans lien avec les instants qui l'ont précédée, comme s'il entrait en contact avec une réalité inconnue qui le remplit « d'une essence précieuse » : « j'avais cessé de me sentir médiocre, contingent, mortel ». Et c'est alors, dans un mouvement inverse de celui qui marquait l'attitude précédente, le repli de l'esprit sur soi, la descente vers les profondeurs de l'être; démarche non plus centrifuge, mais de brusque retour vers le centre perdu. A quoi cette extase donne-t-elle accès ? quelle est sa vraie nature et sa signification ? pourquoi cette joie sans analogue, ce sentiment de toucher à une mystérieuse transcendance ? Le narrateur feint de l'ignorer et le héros, en ce point de son parcours, l'ignore réellement et l'ignorera longtemps encore, remettant « à bien plus tard de découvrir pourquoi ce souvenir *le* rendait si heureux ». Telle est l'énigme posée au départ de l'aventure et dont la solution ne sera donnée qu'au dénouement d'un roman qui est à cet égard composé comme un roman policier, — c'est Fernandez qui en a fait la remarque — mais un roman policier dont l'inconnue serait de nature métaphysique; une première révélation, mais incomplète, reliée aux ultimes révélations du *Temps retrouvé*, complètes et efficaces, par toute une série de « sommets » analogues qui forment la véritable épine dorsale du livre. Nous saurons plus tard que l'extase de la madeleine est l'expérience de ce qui transcende le temps successif et dislocateur, de ce que Proust appelle tantôt « l'intemporel », tantôt « le temps à l'état pur », ou encore « l'éternité ».

Donc deux moments, l'un centrifuge, l'autre de repli sur le centre ; deux expériences du temps, la première étant celle du temps vécu et des moi discontinus, la seconde celle de « l'intemporel », où le moi reprend possession de son unité et de sa permanence.

Or, le *Temps retrouvé* (j'entends toujours ici par *Temps retrouvé* la seconde partie, qui seule justifie son titre, la Matinée Guermantes ; c'était du reste la version originelle ; la premiere partie, Paris pendant la guerre, n'était pas prévue dans la rédaction primitive, elle a été écrite ultérieurement), le *Temps retrouvé* est organisé comme *Combray* autour de deux pivots qui représentent également deux aspects opposés et complémentaires de l'expérience proustienne du temps, mais saisie cette fois dans sa phase d'accomplissement et de réponse définitive : d'abord la découverte de l'intemporel dans les extases de mémoire provoquées coup sur coup par les pavés inégaux, le bruit de la cuiller, la serviette empesée, fondement et action motrice de l'œuvre; ensuite, la « révélation du temps » et de ses effets à l'occasion de la fête « travestie », de ces « poupées extériorisant le Temps », dimension et matière du roman.

On constate aussitôt que ces deux coups de théâtre du *Temps retrouvé* se superposent symétriquement, mais dans l'ordre inverse de succession, aux deux phénomènes de mémoire de l'ouverture. Le premier répond à l'extase de la madeleine, le second renvoie à l'expérience initiale des demi-réveils qui ouvrait le roman en préludant à la longue série des intermittences. Les extases de l'intemporel dans la cour et la bibliothèque de l'hôtel Guermantes apportent une conclusion et une solution à la question posée autrefois par le signal-alerte de la madeleine : « La félicité que je venais d'éprouver était bien en effet la même que celle que j'avais éprouvée en mangeant la madeleine et dont j'avais alors ajourné de rechercher les causes profondes. » (III, 867). Autre similitude essentielle dans l'optique proustienne : la madeleine avait introduit et justifié le chapitre de l'enfance à Combray, le triple « avertissement » de l'hôtel Guermantes va donner au héros les moyens de créer cette fois le roman tout entier, « l'œuvre d'art que je me sentais prêt déjà, sans m'y être consciemment résolu, à entreprendre. » (III, 870).

Cette structure symétrique des deux chapitres-clefs de la *Recherche* a pour effet, tout en la liant étroitement à la forme, de dégager la dialectique du temps et de l'intemporel qui est celle de l'œuvre tout entière :

l'aventure dans le temps d'un homme en quête de ce qui échappe au temps, la poursuite à travers l'intermittence et la discontinuité d'un moi unifié et créateur ; ou encore, comme le dit Georges Poulet, « le roman d'une existence à la recherche de son essence ». Le temps et l'intemporel, l'intermittence et la permanence sont les deux pôles entre lesquels évolue le héros longtemps aveuglé de ce pélerinage ontologique. Cette situation fondamentale est révélée dans la structure d'une œuvre qui s'ouvre et se clôt par deux doubles volets, image de cette double expérience du temps.

On discerne d'autres raisons encore à l'importance qu'attachait Proust à cette forme circulaire d'un roman dont la fin se boucle sur l'ouverture. On voit dans les dernières pages le héros et le narrateur se rejoindre eux aussi, après une longue marche où ils furent à la recherche l'un de l'autre, parfois très proches, le plus souvent très éloignés; ils coïncident au dénouement, qui est l'instant où le héros va devenir le narrateur, c'est-à-dire l'auteur de sa propre histoire. Le narrateur, c'est le héros révélé à lui-même, c'est celui que le héros tout au long de son histoire désire mais ne peut jamais être ; il prend maintenant la place de ce héros et va pouvoir se mettre à édifier l'œuvre qui s'achève, et tout d'abord à écrire ce *Combray* qui est à l'origine du narrateur aussi bien que du héros. La fin du livre rend possible et compréhensible l'existence du livre. Ce roman est conçu de telle façon que sa fin engendre son commencement.

Mais il n'est pas moins vrai que le commencement engendre la fin. C'est parce qu'il a retrouvé son origine que le héros de Proust sera créateur. La découverte décisive du chapitre final, c'est qu'entre la soirée d'enfance à Combray et la matinée Guermantes de l'âge mûr, il y a, par delà toute la distance d'une vie où le moi ne coïncidait jamais avec lui-même, coïncidence entre des phases extrêmes que l'extase de mémoire rend contemporaines ; jadis et maintenant se trouvent soudain simultanés ; cette identité du présent et du passé qui sont ainsi superposés dans le souvenir affectif constitue, selon Proust, le fondement de son art et de sa création. Cette conviction essentielle, le romancier la rend sensible par la superposition de son premier et de son dernier chapitre. [10]

II. — De Swann à Charlus.

Après *Combray*, dont les préparations annoncent méthodiquement toutes les directions futures, Swann qui y jouait déjà un rôle important, mais dans les coulisses, passe brusquement à l'avant-scène. *Un amour de Swann* est un retour en arrière que justifient des souvenirs indirects du narrateur substitué au héros ; nous avons même un peu l'impression que c'est ici le romancier qui intervient sous le masque du narrateur. Proust avait besoin de ce retour en arrière qui lui permet de gagner une génération et d'étaler la nappe de temps utilisable en reculant fort loin dans les vies de Swann, d'Odette, des Verdurin. Il lui fallait ce large espace pour allonger sa perspective et développer sur une trajectoire accrue toutes les transformations de ces personnages. Il le lui fallait aussi pour placer à l'entrée du roman l'amour exemplaire de Swann et d'Odette, comme un premier schéma que les amours ultérieurs auront pour tâche de reproduire, en le variant sans doute mais en le répétant inéluctablement ; cette répétition est destinée à traduire la rigide fatalité du développement de l'amour proustien. D'autre part, inséré entre *Combray* et le Paris des *Jeunes filles en fleurs* et de *Guermantes*, *Un amour de Swann* prépare la fusion des milieux initialement séparés ; Swann est l'homme-navette qui, le premier, fait la jonction des deux « côtés », démontre qu'une communication est possible entre les sociétés étanches de Combray et de Guermantes, préfigurant en cela l'itinéraire du héros.

---

(10) Voir à ce sujet quelques pages remarquables de M. Blanchot dans la N.R.F. du 1er septembre 1954.

Quoi qu'on pense de l'artifice qui introduit *Un amour de Swann,* on a vite fait de l'oublier, tant est serrée et organique la liaison qui noue la partie au tout. Une fois achevée la lecture de la *Recherche,* on s'aperçoit qu'il ne s'agit nullement d'un épisode isolable ; sans lui, l'ensemble serait inintelligible. *Un amour de Swann* est un roman dans le roman, ou un tableau dans le tableau, comme certains artistes ont aimé en insérer dans leurs œuvres pour leur donner un effet de perspective et de profondeur ; il rappelle non pas ces histoires gigognes que maints romanciers du XVIIe ou du XVIIIe siècle emboîtent dans leurs récits, mais plutôt ces histoires intérieures qui se lisent dans la *Vie de Marianne,* chez Balzac ou chez Gide. Proust place à l'une des entrées de son roman un petit miroir convexe qui le reflète en raccourci.

Le personnage de Swann a des rapports intimes avec le héros, il est à la fois son père spirituel et son frère aîné. Il commence par jouer le rôle qui fut en partie celui de Ruskin auprès de Proust : il initie l'adolescent à l'art, puisqu'il le présente à Bergotte et lui fait connaître les peintres italiens, qui sont précisément les peintres de Ruskin. Il est davantage encore son frère, son double ; ceci n'a plus à être démontré, nombre de commentateurs l'ont fait à la suite de Proust lui-même, qui multiplie dans son roman les indications les plus claires : similitudes de caractère et analogies de destinée, même façon d'aimer et de souffrir, mêmes goûts pour le monde et pour les arts, mêmes faiblesses, enfin mêmes tentations graves auxquelles chacun d'eux réagira différemment. Proust ne cesse de les rapprocher tout au long de son livre, tantôt pour les comparer, tantôt pour les opposer, mais d'une opposition qui demeure toujours fraternelle.

Cette fraternité ne surprend pas quand on observe la genèse de Swann, pour autant qu'on peut la connaître : un extrait des cahiers inédits publié par Maurois [11]

---

(11) *A la recherche de Marcel Proust,* Paris, 1949, p. 153.

donne une première version des *Jeunes filles* dans laquelle le rôle du héros est tenu par Swann, alors que chez Jean Santeuil déjà on note des traits dont les uns passeront à Swann, les autres au héros, dans la mesure où ils se distinguent. Jean Santeuil semble donc avoir donné naissance par scission aux deux personnages ; aussi est-il logique qu'issus d'un germe commun ils en gardent le souvenir sous la forme de ressemblances et d'équivalences.

Si Proust fait de Swann, artiste mais stérile, la tentation permanente du héros et son péril intime, s'il le charge de l'erreur capitale pour qui a vocation, comme le héros, de passer du plan de la vie au plan de l'art, on peut se demander pourquoi Swann disparaît du roman en son milieu, alors que le héros est très loin encore du moment où il se libèrera du danger mortel que Swann avait mission d'incarner. Sans doute, le souvenir de Swann lui survit-il longtemps; le romancier ne manque pas une occasion de le raviver en cours de route, de dresser, en face de l'élu dont il nous retrace les épreuves d'initiation, la figure fatale du réprouvé, de l'homme qui a manqué sa vocation d'artiste. Mais il y a autre chose : c'est que Swann disparaît moins qu'on ne le pense. En effet, il est relayé et continué par un personnage qui, en dépit des différences, lui ressemble pour l'essentiel et qui assure dans la suite du livre la fonction de Swann ; ce personnage, c'est son intime et ancien ami, son rival présumé et son émissaire auprès d'Odette, celui qui, lorsqu'il est mentionné dans les premières parties du roman, l'est toujours en compagnie de Swann : Charlus. Ce sont encore deux doubles. Or, il est significatif que Charlus grandisse dans le roman quand Swann s'efface, à l'époque de la grande soirée chez la princesse de Guermantes, qui est à cet égard une charnière. Certes Charlus ne se confond pas avec Swann, c'est un autre être, il évolue différemment, mais sa façon d'aimer, de souffrir en amour n'est pas si différente, à l'objet près, de celle de Swann ; et surtout il est aux yeux de Proust, comme Vautrin qu'il réincarne, comme Swann qu'il prolonge, un artiste, mais un artiste manqué, un artiste de la vie et non pas un artiste de l'art ; il éprouve le besoin de s'exprimer et de forger des créatures, mais il le fait en dehors des voies de l'art : « J'ai toujours regretté que M. de Charlus, au lieu de borner ses dons artistiques à la peinture d'un éventail... et au perfectionnement de son jeu pianistique,... et je regrette encore que M. de Charlus n'ait jamais rien écrit..., l'homme du monde fût devenu maître écrivain..., s'il eût fait des livres, on aurait eu sa valeur spirituelle isolée, décantée du mal... »[12] Il n'a pas écrit ces livres, de même que Swann n'a jamais terminé son étude sur Vermeer ; la vie, le monde, l'amour leur paraissent à tous deux plus importants. Swann et Charlus sont dans la *Recherche* des pendants, mais en négatif, des grands créateurs, Elstir et Vinteuil.

Il faut noter chez Charlus un trait qui vient renforcer sa fonction de double de Swann, c'est sa carrière amoureuse. Le caractère et la destinée de Charlus amoureux répètent le caractère et la destinée de Swann amoureux. Il ne s'agit pas seulement de cette imitation générale qui fait évoluer tous les couples d'amants proustiens selon une courbe analogue, mais d'une imitation particulière et privilégiée : Morel est une Odette qui aurait changé de sexe ; leur nullité, leur vulgarité, leur bassesse parfois coexistent avec un art que chacun d'eux exerce en virtuose, la toilette et le violon ; tous deux prennent leur source en un même lieu, l'appartement de l'oncle Adolphe ; et l'attitude de leurs amants à leur égard est étrangement semblable. On pourrait suivre dans les détails le parallélisme des relations Swann-Odette et Charlus-Morel. De plus, Swann et Charlus se déclassent de la même manière : venant du milieu Guermantes, ils s'introduisent dans le clan Verdurin pour y retrouver l'objet aimé, et ils en seront expulsés de façon analogue ; qu'on se rappelle les deux

---

(12) Fragment inédit publié dans éd. Pléiade, III, pp. 208-209. Cf. aussi : « Quel malheur que M. de Charlus ne soit pas romancier ou poète !... Mais M. de Charlus n'était en art qu'un dilettante, qui ne songeait pas à écrire et n'était pas doué pour cela. » (III, 831.)

soirées dramatiques où les mêmes Verdurin séparent brutalement les amants qu'ils ont d'abord réunis et rejettent chaque fois l'amoureux seul et désespéré : la soirée du Bois pour Swann, la soirée du septuor pour Charlus.

Swann ne disparaît donc pas, Charlus reprend sur un ton différent son rôle dans le roman, et sa fonction se trouve assurée au delà de sa mort. Le personnage à double face Swann-Charlus forme un des axes continus de l'œuvre. Il disparaît brusquement à l'entrée du *Temps retrouvé;* la dernière rencontre avec Charlus, sur les Champs-Elysées, précède immédiatement l'entrée du héros dans la cour de l'hôtel Guermantes où vont se succéder les grâces de mémoires qui lui permettront d'entreprendre son œuvre. Mais cette fois la disparition du personnage ne nous étonne pas : c'est le moment où le héros trouve sa vérité, où il va pouvoir passer du plan de la vie au plan de la création ; c'est donc le moment où il élimine définitivement le Swann-Charlus qui vivait en lui et menaçait de le stériliser. Le roman n'a désormais plus besoin de cette incarnation d'une tentation esthétique qui se trouve surmontée.

Car c'est là toute la question, posée d'un bout à l'autre du roman : peut-on sortir du plan de l'existence pour accéder à celui de la création ? Qui a raison, de Vinteuil-Elstir ou de Swann-Charlus ? C'est entre ces deux groupes que passe la ligne qui départage les personnages en élus et rejetés, en créateurs et non-créateurs. Et entre eux erre le héros, attiré par les uns puis par les autres, sommé de faire son choix et incapable de s'y résoudre lui-même, jusqu'au jour où les réminiscences enfin comprises opèrent en lui le salut et le contraignent au choix : il sera du côté d'Elstir et de Vinteuil et il tournera le dos à Swann-Charlus, qui s'abîme dans sa déchéance et son irréalité.

Une similitude supplémentaire entre Swann et Charlus réside dans leurs goûts littéraires. L'un et l'autre lisent Saint-Simon. Cette remarque appelle des nuances et de plus larges développements.

III. — Les livres de chevet des personnages.

Le roman de Proust est non seulement l'histoire de sa genèse et de sa propre création, il est plus encore, et plus largement, le roman de la création artistique; il s'ordonne autour d'une série d'expériences esthétiques. Aussi, chacun de ses personnages y est-il conçu en relation avec l'art; cela est vrai, bien entendu, des grands créateurs Vinteuil, Elstir, Bergotte, même la Berma, comme du héros et de ses doubles, Swann, Charlus; mais cela est vrai aussi de tous les comparses, de la duchesse de Guermantes, qui tient d'étranges propos sur la peinture, à Mme de Villeparisis, caricature de Sainte-Beuve, en passant par le clan Verdurin, Bloch ou les Cambremer ; tous ont pour fonction première de représenter l'une des attitudes possibles, le plus souvent aberrantes, devant l'œuvre d'art. Parmi les aspects particuliers de cette relation générale, il y a lieu de considérer les lectures des personnages proustiens.

On ne peut manquer en effet d'être frappé de l'importance donnée par Proust aux livres de chevet de plusieurs de ses héros, à certaines rencontres ou connivences du personnage avec un livre ou un auteur. Ces rencontres ne sont certainement pas dues au hasard; en ce domaine, on peut faire confiance à Proust : des insistances de cette nature doivent avoir un sens.

Balzac.

Le rôle de Balzac dans la préhistoire de l'œuvre proustienne est connu depuis les publications d'inédits procurées ces dernières années par B. de Fallois; on sait que le *Balzac de M. de Guermantes* nous fait voir, à l'origine de certains personnages, des lecteurs imaginaires de la *Comédie humaine*. Il s'agit avant tout de Charlus, qui incarnera dans la *Recherche* l'admirateur et le familier des romans balzaciens. Les préparations anciennes du baron sont à cet égard fort intéressantes; elles remontent aux années de jeunesse. Déjà dans

Jean Santeuil, on peut noter que le lecteur de Balzac, ce n'est pas C., le grand écrivain, mais, au dire de celui-ci, des connaisseurs provinciaux qui n'écrivent pas; on prêtera attention à l'explication donnée par C. : « Ce n'est *pas par l'art* que cela nous prend. C'est un plaisir qui n'est vraiment pas très pur. Il essaye de nous prendre *comme la vie* par un tas de mauvaises choses et *il lui ressemble.* » (I, p. 53.) En d'autres termes. Balzac séduit moins les créateurs que des amateurs qui se laissent prendre comme lui par les ressemblances de l'art et de la vie.

On touche ici à un problème qui sera toujours, et de plus en plus, au centre de la méditation de Proust : le problème des « rapports secrets » et des « métamorphoses nécessaires qui existent entre la vie d'un écrivain et son œuvre, entre la réalité et l'art » (I, p. 54). Cette formule de jeunesse pourrait être mise telle quelle en épigraphe de la *Recherche;* elle en désigne déjà le sujet profond. C'est vers son œuvre définitive qu'à son insu Proust se dirige dès ce moment. Il va faire un pas en avant dans la Préface de la *Bible d'Amiens* (1904), où l'on va voir s'esquisser un aspect essentiel du futur Charlus à la faveur de cette même discussion sur les rapports de l'art et de la réalité; en traduisant et commentant Ruskin, Proust met en lumière une solution erronée du débat, qu'il condamne sous le nom d' « idolâtrie esthétique »; il reconnaît là un véritable péché qu'il tiendra toujours, et de plus en plus, pour capital, tant les conséquences en sont funestes pour ceux qui se vouent à l'art; c'est le « péché intellectuel favori des artistes »; Ruskin le commet, mais il n'est pas le seul; et pour se faire bien comprendre, Proust en propose un exemple dont il se servira dix ans plus tard dans son roman : il nous renvoie à un contemporain — qu'il ne nomme pas, mais en qui on devine Montesquiou —, lequel « reconnaît avec admiration dans l'étoffe où se drape une tragédienne, le propre tissu qu'on voit sur la *Mort* dans *le Jeune homme et la Mort* de Gustave Moreau, ou dans la toilette d'une de ses amies *la robe et la coiffure mêmes que portait la princesse de Cadignan le jour où elle vit d'Arthez pour la première fois.* Et regardant la draperie de la tragédienne ou la robe de la femme du monde, touché par la noblesse de son souvenir, il s'écrie : « C'est bien beau ! », non parce que l'étoffe est belle, mais parce qu'elle est l'étoffe peinte par Moreau ou décrite par Balzac et qu'ainsi elle est à jamais sacrée... aux idolâtres » (p. 87).

Passer de l'œuvre à l'objet, de l'art à la vie comme s'ils étaient interchangeables, donc homogènes; se plaire à un élément de la réalité pour l'avoir vu dans un tableau ou un livre; ou, inversement, admirer un tableau parce qu'on trouve beau l'objet représenté, telle est l'idolâtrie, au sens très particulier que lui donne Proust, qui en fait le péché capital de l'artiste, sa tentation constante : confondre l'art et la vie. Or, Proust sait déjà que celui qui ne distingue pas radicalement ces deux plans d'existence est inapte à devenir un créateur, c'est-à-dire à faire ce qu'il faut pour s'arracher au plan de la vie et passer au plan hétérogène de l'art; ce sera justement là l'erreur des deux artistes noncréateurs dans le roman futur : Swann et Charlus. Et c'est ce qui fait de la page citée un jalon précieux entre *Jean Santeuil* et la *Recherche*, puisqu'elle nous donne à l'avance la véritable clé de ces personnages.

Le Swann de Combray fait cadeau au héros enfant de reproductions de Bellini, Giotto, Carpaccio, Gozzoli, — les peintres de Ruskin; c'est dire qu'il joue à l'égard du héros le même rôle que Ruskin avait déjà joué auprès de l'auteur, celui d'initiateur à la peinture, spécialement à la peinture du Quattrocento. Or Swann ne cessera de reconnaître dans un cocher, un valet de pied, une cuisinière, dans Odette surtout des figures de Bellini, de Mantegna, de Giotto, de Botticelli, c'est-à-dire de rapprocher figures peintes et figures vivantes comme si elles étaient de même nature, comme si la vie pouvait être de l'art. Il commet le péché ruskinien d'idolâtrie.

L'idolâtrie étant associée dans l'esprit de Proust, dès 1904, à Balzac et surtout au lecteur de Balzac, il ne faut donc pas s'étonner de voir ces deux notions se fixer sur le personnage de Charlus, qui a pour fonction dans la *Recherche*, on l'a vu, de relayer et de prolonger Swann afin d'incarner comme lui l'échec de l'artiste. Nouveau Steinbock, avatar de Vautrin, Charlus, figure balzacienne, est un lecteur assidu et un connaisseur de la *Comédie humaine;* il en donne de fréquentes preuves, en particulier dans le petit train de Balbec où, se souvenant de la Préface à la *Bible d'Amiens*, il s'enchante de la robe grise d'Albertine qui lui rappelle, à lui aussi, la robe de la princesse de Cadignan [13]; et le souvenir de la nouvelle de Balzac l'émeut d'une émotion équivoque : « Il tomba dans une songerie profonde, et comme se parlant à soi-même : *Les Secrets de la princesse de Cadignan !* s'écria-t-il, quel chef-d'œuvre ! comme c'est profond, comme c'est douloureux..., comme cela va loin ! [14] » C'est qu'il rapporte la position de la princesse à la sienne propre. Et fidèle à sa logique constante, voici que Proust commente ce penchant du baron comme signe d'un artiste « idolâtre » : « ... le baron était fort artiste. Et maintenant que depuis un instant *il confondait* sa situation avec celle décrite par Balzac, *il se réfugiait en quelque sorte dans la nouvelle* et à l'infortune qui le menaçait peut-être, et ne laissait pas en tous cas de l'effrayer, il avait cette consolation de trouver dans sa propre anxiété ce que Swann et aussi Saint-Loup eussent appelé quelque chose de « très balzacien ». Cette identification à la princesse de Cadignan avait été rendue facile pour M. de Charlus... ».

Dire « c'est très balzacien », retrouver Balzac dans la société contemporaine et soi-même dans Balzac, c'est se laisser prendre au réel comme au roman, c'est oublier la différence entre l'art et la vie, erreur dans laquelle tombe Balzac lui-même au dire de Proust. Il est donc

(13) Ce point de contact entre la genèse de Charlus et Montesquiou confirme d'autres indices souvent relevés; Proust a pu utiliser, *au début*, ses souvenirs de Montesquiou pour alimenter son personnage. Mais gardons-nous de dire, comme trop de lecteurs mondains : Charlus, c'est Montesquiou ! Forme naïve du péché d'idolâtrie.

(14) *Sodome et Gomorrhe*, éd. Pléiade, II, p. 1058.

logique et riche de sens que Charlus, vivante incarnation de l'idolâtrie, ait son auteur de chevet en Balzac, symbole de son péché esthétique [15].

Saint-Simon.

C'est l'auteur de Swann, « un de ses auteurs favoris », celui qu'il relit et cite volontiers, qu'il évoque longuement dès sa première apparition de *Combray*, pour constater des analogies entre la société du Paris récent et celle de Versailles : « sur certains points, cela n'a pas énormément changé ». Ce qui surtout intéresse Swann chez le mémorialiste, c'est l'analyste de la société, l'anatomiste de la vie sociale, de sa « mécanique », le témoin de la pérennité de certains types humains et de certains vices.

Mais pourquoi est-ce précisément à Swann que Proust concède cette admiration particulière ? Pour suggérer les limites du personnage, son snobisme profond, la nature de son goût pour cette aristocratie Guermantes qui continue celle des grands seigneurs de l'époque Louis XIV ; plus généralement encore, pour signifier sa passion, intelligente, artiste, mais étroite, pour les valeurs de société.

Ainsi, Swann arbore une lecture de chevet : Saint-Simon, et un groupe de peintres qu'il révèle au héros : les peintres « ruskiniens ». On comprend que ce n'est pas sans intention que Proust attache à ce personnage la double enseigne parlante de Ruskin l' « idolâtre » et de Saint-Simon le snob, de façon à désigner son vice foncier : la jouissance esthétique des relations sociales, qui le condamne à n'être qu'un artiste dilettante.

Que, secondairement, Charlus fasse état, lui aussi, de ses lectures de Saint-Simon, rien d'étonnant à cela,

(15) Une autre lectrice de Balzac (v. le *Balzac de M. de Guermantes*) mais très occasionnelle dans la *Recherche*, c'est Gilberte de Saint-Loup, que nous voyons lire à Tansonville la *Fille aux yeux d'or :* allusion voilée à une passion aberrante; allusion très claire à une autre séquestrée, la « prisonnière » Albertine; bref rappel de l'amour jaloux et possesseur, mais impuissant à s'assurer la possession réelle de sa proie.

puisqu'il est un double et un prolongement de Swann. Plus encore que Swann, il est l'homme de cette société décrite par le mémorialiste, dont il épouse les étroitesses et les préjugés nobiliaires ; il se sent par ses ancêtres, souvent nommés dans les *Mémoires* comme dans des archives familiales, le contemporain d'un XVIIe siècle qui survit inchangé jusqu'à lui; il lui arrive même, à la Raspelière, de s'identifier, en artiste ingénu, à un personnage de Saint-Simon : « Avec le singulier amalgame qu'il avait fait de ses conceptions sociales, à la fois de grand seigneur et d'amateur d'art, au lieu d'être poli de la même manière qu'un homme de son monde l'eût été, il se faisait, d'après Saint-Simon, des espèces de tableaux vivants ; et, en ce moment, s'amusait à figurer le maréchal d'Uxelles... » (II, 967). Ici encore, Charlus, par cette assimilation saugrenue, confond la vie et l'art, lui-même et un personnage littéraire ; il confirme de la sorte son impuissance foncière à s'élever au niveau de l'invention, qui impliquerait le détachement aussi bien à l'égard de soi-même que de ses admirations livresques.

Les *Mémoires* de Saint-Simon apparaissent dans la *Recherche* comme un symbole de la vie des sociétés. Or Proust tient la société pour le théâtre des changements, des revirements, des révolutions imprévisibles; elle est le monde soumis à l'action du temps. Sans doute, Swann et Charlus veulent y reconnaître des permanences, des coutumes qui ne changent pas, mais ils sont victimes de leurs préventions, du système d'illusions dans lequel ils s'enferment, comme Saint-Simon. Quand on lit les *Mémoires* avec les yeux de Proust, on entre dans un univers où le temps semble visible, comme s'il était le personnage principal du livre ; on assiste à un carnaval de « personnages successifs », à un long cortège de vies et de morts ; les générations et les privilèges tombent les uns après les autres autour de ce spectateur avide, Saint-Simon, qui comptent les élévations et les chutes, les entrées et les sorties. Installé dans un poste central, il est d'autant plus sensible aux changements qui s'opèrent autour de lui que, remontant par son vieux père jusqu'au règne de Louis XIII, il étend sa vue sur un siècle entier, de Richelieu à Louis XV ; c'est la position que Proust donnera à son héros grâce à l'artifice d'*Un amour de Swann.*

Mais le héros ne se laissera pas enfermer, comme Swann et Charlus, dans la seule expérience du temps et de la société. Il en sera délivré lorsque, dans le *Temps retrouvé*, les grâces de mémoire le mettront en mesure de surmonter ce qu'il y avait en lui de Swann et de Charlus, et de les dépasser par la création d'une œuvre. Ce dépassement, sur le plan des lectures, sera manifesté par sa résolution de composer les *Mémoires* de Saint-Simon d'une autre époque, non pas en les récrivant ou les revivant, comme eût fait un Swann ou un Charlus, mais en les recréant : « comme Elstir Chardin, on ne peut refaire ce qu'on aime qu'en le renonçant », donc en s'en détachant, à la faveur d'une expérience intime et inédite que symboliseront les *Mille et une Nuits*, significativement jumelées avec les *Mémoires :* « Sans doute, quand on est amoureux d'une œuvre, on voudrait faire quelque chose de tout pareil, mais il faut sacrifier son amour du moment, ne pas penser à son goût, mais à une vérité qui ne vous demande pas vos préférences et vous défend d'y songer. Et c'est seulement si on la suit qu'on se trouve parfois rencontrer ce qu'on a abandonné, et avoir écrit, en les oubliant, les « *Contes arabes* » ou les « *Mémoires* de Saint-Simon » d'une autre époque. » (III, 1044.)

Ce texte important nous conduit à examiner les lectures du héros.

François le Champi.

C'est le premier livre à jouer un rôle dans le roman. Le héros enfant le reçoit de sa grand-mère pour sa fête, et sa mère lui en fait lecture en une soirée mémorable. Pourquoi Proust choisit-il ce livre-là ? Suggère-t-il un rapport entre le livre et la circonstance ? La réponse est simple dès qu'on s'avise du sujet et des personnages principaux de *François le Champi :* l'histoire d'un enfant trouvé, de caractère aimant et sensible, à qui une jeune meunière tient lieu de mère ; il éprouve pour elle un attachement passionné, une tendresse exclusive qui se mue avec l'âge en l'amour d'un homme pour une femme ; il épousera finalement sa mère adoptive.

Voilà l'idylle ardente et pure qui se profile derrière la soirée initiale de Combray ; nous savons assez par ailleurs combien le jeune héros de Proust aime sa mère d'une passion exclusive et douloureuse, d'un amour qui semble un peu plus que filial, ou pour mieux dire : d'une passion qui est la plénitude de l'amour partagé. C'est là sans doute ce que, dès le début du roman, cette lecture de *François le Champi* doit nous faire pressentir.

Qu'on pense en outre à l'une des scènes du livre de G. Sand, où l'orphelin laisse timidement entendre son désir de recevoir un baiser de la meunière comme s'il était son vrai fils, et puis, ayant reçu ce baiser, il va pleurer de joie à l'écart ; on comprendra mieux alors la destination précise, encore qu'assez enveloppée, attachée par Proust à cette lecture.

Il apparaît que le livre introduit par Proust dans son livre sert à doubler le thème visible, à étoffer une situation en la fournissant de dessous enrichissants, à lui donner le relief d'un éclairage latéral.

Madame de Sévigné.

La grand-mère et la mère étaient ensemble responsables de l'introduction du roman rustique de G. Sand dans le champ de connaissance du héros, l'une comme donatrice, l'autre comme lectrice. C'est qu'elles ne sont qu'un seul personnage en deux personnes ; elles se retrouvent unies dans le même auteur de prédilection, qu'elles citent, avec délice et à tout propos : Mme de Sévigné. Ce n'est pas seulement parce que Proust tient l'épistolière pour un grand écrivain, et une imagination forte et originale dont le mode de perception et d'invention est rapproché de celui d'Elstir, donc dans une certaine mesure du sien propre ; on peut tenir pour assuré qu'en outre il n'établit pas sans raison cette insistante relation entre les deux dames et leur chère Sévigné. Les motifs éclatent dès qu'on se rappelle la passion amoureuse de Mme de Sévigné pour sa fille ; Charlus à Balbec est chargé de nous faire savoir que ce sentiment « peut prétendre beaucoup plus justement ressembler à la passion que Racine a dépeinte dans *Andromaque* ou dans *Phèdre*, que les banales relations que le jeune Sévigné avait avec ses maîtresses »[16].

Peu importent les intentions secrètes qui percent sous ces propos de Charlus ; ce qu'il faut retenir, c'est que la passion de Mme de Sévigné est destinée, dans l'économie du roman, à compléter symétriquement le message de *François le Champi* en vue de souligner la nature du lien qui joint le héros à sa mère et à sa grand-mère : un véritable amour, passionné et absolu, et que déchire l'absence ; non pas un amour heureux, il n'en est pas, mais le seul amour de toute l'œuvre proustienne qui ne soit pas illusoire, le seul qui assure une communication réelle entre les partenaires. Cet amour idéal, qui se maintient d'un bout à l'autre au-dessus de l'horizon de l'œuvre, intact et constant, inculpe d'irréalité tous les autres amours du héros, en particulier celui qu'il voue à Albertine.

Les Mille et une Nuits.

Le héros est lui aussi doté d'un livre de prédilection. Les allusions sont nombreuses à ces Contes arabes qu'il aime entre tous, qu'il relit souvent à des époques diverses de sa vie, et qui sont liés à son enfance par les assiettes peintes de Combray. Quelle est ici l'arrière-pensée de Proust ? On croit en discerner plusieurs[17].

D'abord, l'homme proustien est sujet, comme maints personnages des Contes arabes, à de surprenantes métamorphoses. Saint-Loup, Albertine, Charlus sont aussi

---

(16) *Jeunes filles en fleurs*, éd. Pléiade, I, p. 763.

(17) Proust n'ignorait probablement pas que Balzac avait déjà prétendu transposer les *Mille et une nuits*, faire dans son œuvre « les *Mille et une nuits* de l'Occident ».

multiformes, peuvent se montrer aussi différents d'eux-mêmes que ces êtres qu'une fée transforme en chèvre, en chien, ou qui échangent leurs sexes.

Ensuite, les *Mille et une Nuits,* c'est Schéhérazade se maintenant en vie par la grâce de ses récits, se sauvant en racontant. De même, quoique en un sens plus spirituel, le héros de Proust se sauve en créant. Sa vie mortelle et vaine trouve son salut dans le roman qu'il va composer.

Naturellement, les *Mille et une Nuits* c'est l'Orient, un Orient de rêve et de féérie qui n'est pas absent de l'œuvre proustienne ; sa présence est sensible d'une part dans *Combray,* d'autre part à la fin du roman, à partir de la *Prisonnière.* A l'arrière-plan de la *Prisonnière* et de la *Fugitive* se profile Venise, que Proust présente assez curieusement comme un Combray maritime et oriental, un double fabuleux du bourg de l'enfance, lequel n'est du reste pas moins fabuleux à sa manière. Cette Venise « tout encombrée d'Orient », elle projette ses reflets jusque dans l'appartement parisien de la *Prisonnière,* grâce aux robes de Fortuny qui drapent Albertine ; mais c'est Albertine elle-même qu'on nous invite à contempler à travers le souvenir de certains Contes arabes, cette Albertine enfermée comme une favorite dans un palais où elle est comblée mais captive, se vêtant de somptueux brocarts et jouant du pianola pour son amant comme la belle Schemselnihar se pare et joue du luth pour son prince, une Albertine certes captive et étroitement surveillée comme les femmes des califes, mais entretenant comme elles de mystérieuses relations avec le dehors et échappant à son possesseur malgré des portes aussi bien gardées que celles des sérails de Bagdad.

Mais ce n'est pas seulement la chambre d'Albertine, c'est Paris, le Paris nocturne du *Temps retrouvé,* qui offre « le charme mystérieux et voilé d'une vision d'Orient » (III, 737). Toutes les fantasmagories de l'Orient prêtent un air insolite à ce Paris de guerre où se promène le héros comparé au calife Haroun-al-Raschid, dont il a un peu le caractère versatile, oscillant de la sérénité à la mélancolie, de la cruauté despotique à la générosité ; au surplus, le calife est sensible à la musique ; mais son trait le plus frappant pour le lecteur, c'est son habitude d'errer dans sa capitale sous un déguisement de marchand, dérobant à tous sa véritable identité ; de même, l'identité réelle du héros, ce que Proust nomme son « moi profond », est habituellement invisible ; c'est un perpétuel déguisé, si ce n'est aux heures de contemplation et de création. Sur ce Paris des nuits de guerre se superpose « le vieil Orient de ces *Mille et une Nuits* que j'avais tant aimées, et me perdant peu à peu dans le lacis de ces rues noires, je pensais au calife Haroun-al-Raschid en quête d'aventures dans les quartiers perdus de Bagdad. » (III, 809 et 832). Parmi ces aventures, la rencontre de Charlus subissant d'étranges métamorphoses dans l'établissement de Jupien n'est pas la moins « orientale ».

Toutefois, ces diverses observations ne portent pas sur l'essentiel et demeurent latérales ; elles ne suffisent pas à justifier la position privilégiée accordée à ce livre de chevet du héros. Mais nous sommes sur la voie : on a vu les allusions aux Contes arabes se multiplier à l'approche du *Temps retrouvé ;* c'est ici que le livre bien-aimé va prendre sa pleine signification. La question à se poser est celle-ci : comment Proust a-t-il lu les *Mille et une Nuits ?* ou plus exactement : que sont-elles devenues dans son esprit, quand il déclare que son roman sera une recréation moderne du vieux recueil ? Quel est le rapport profond entre deux œuvres à première vue si dissemblables ?

A la question ainsi posée, la réponse me semble assez claire, encore que Proust ne soit nulle part très explicite. Le monde dans lequel il plonge son héros a ceci de commun avec les Contes arabes que c'est un monde enchanté. Pas toujours assurément, l'existence y est souvent plate et ordinaire, mais un moment survient où tout s'abolit devant une apparition miraculeuse. Comme dans les *Mille et une Nuits,* la réalité qui enveloppe le héros — mais non pas les autres personnages — contient des richesses invisibles,le plus souvent inconnues et insaisissables, mais qu'un hasard bienveillant peut faire brusquement surgir. Ce hasard, ce sont les grâces de mémoire, dont Proust a suffisamment souligné le caractère magique. Il existe un monde surnaturel, caché derrière chaque objet. On peut être assuré que Proust interprétait dans ce sens les interventions de génies ou de fées si fréquentes dans les récits de Schéhérazade, ou ces rochers, ces montagnes qui semblent très ordinaires, mais qu'un geste, un mot fait s'ouvrir, découvrant des trésors enfouis. La seule différence, c'est que la *Recherche* met au jour des trésors spirituels et que les espaces magiquement révélés sont des espaces intérieurs.

L'allusion au livre oriental est transparente dans la page où s'annoncent les révélations « extratemporelles » de la cour des Guermantes, dans le *Temps retrouvé :* « Mais c'est quelquefois au moment où tout nous semble perdu que l'avertissement arrive qui peut nous sauver ; on a frappé à toutes les portes qui ne donnent sur rien, et la seule par où on peut entrer et qu'on aurait cherchée en vain pendant cent ans, on y heurte sans le savoir, et elle s'ouvre. » (III, 866). Trois « avertissements » éclatent, qui sont autant d'apparitions surnaturelles ; le troisième est donné par le contact d'une serviette empesée : « aussitôt, comme le personnage des *Mille et une Nuits* qui sans le savoir accomplissait précisément le rite qui faisait apparaître, visible pour lui seul, un docile génie prêt à le transporter au loin, une nouvelle vision d'azur passa devant mes yeux. » (III, 868). Souvenir évident de l'anneau d'Aladin et du génie qui le transporte en un instant de Chine en Afrique ; ici, avec la même soudaineté, s'opère le transfert de Paris à Balbec, ou à Venise, ou jadis à Combray, lors du miracle de la madeleine. L'objet,et la sensation qu'il provoque, jouent le rôle de talisman ; ils ont le même pouvoir magique. Les réminiscences proustiennes, qui arrachent le héros à sa condition présente et le déplacent dans l'espace et le temps, sont l'équivalent des génies ou du tapis volant, auxquels les princes de Schéhérazade doivent d'analogues miracles ; et lorsqu'ils sont sauvés de la mort ou du dépérissement par un rapide enlèvement dans les airs grâce à l'oiseau roc, à l'aigle de la vallée des diamants ou au cheval enchanté, on a le droit de faire un rapprochement riche de sens avec les minutes d'extase dues à un souvenir affectif ou à la contemplation d'une œuvre d'art, que Proust compare maintes fois à un envol vertical.

L'éclairage des *Mille et une Nuits* porte sur *Combray* et sur le *Temps retrouvé*, lieux enchantés, temps du miracle. Il ne tombe qu'indirectement et accidentellement sur « l'entre-deux » ; il désigne alors un mirage, une fausse magie, tenue d'abord pour vraie, mais que la suite montrera illusoire : l'amour (dans la *Prisonnière*) et la société aristocratique. Le monde des Guermantes, aux yeux du héros qui le contemple du dehors et le rêve, semble un monde fabuleux, peuplé de demi-dieux et d'êtres surnaturels, grotte sous-marine ou palais féériques, dont la porte s'ouvre aux seuls détenteurs de la « formule magique ». Swann, quittant les parents du héros pour se rendre dans quelque salon très fermé, est comparé à « Ali-Baba, lequel, quand il se saura seul, pénétrera dans *la caverne éblouissante de trésors insoupçonnés.* » (I, 18). Et le narrateur, se rappelant beaucoup plus tard l'époque où il n'était pas encore revenu de ses illusions, recourra cette fois aussi à l'imagerie orientale : « Au temps où je croyais... que les Guermantes habitaient tel palais en vertu d'un droit héréditaire, pénétrer dans *le palais du sorcier ou de la fée*, faire *s'ouvrir devant moi les portes* qui ne cèdent pas tant qu'on n'a pas prononcé la *formule magique*, me semblait aussi malaisé que d'obtenir un entretien du sorcier ou de la fée eux-mêmes. » (III, 857.) On s'explique dès lors que les limites ne soient pas toujours franches entre les deux univers, qu'on voie briller des reflets de *Mille et une Nuits* sur les personnages du monde Guermantes-Saint-Simon, que Charlus, Saint-Loup, la duchesse semblent parfois passer de l'un à l'autre, au gré des alternances et des incertitudes du héros.

Tous ces faux prestiges sont balayés par la quadruple vague d'interventions « surnaturelles » *du Temps retrouvé* : les nouvelles *Mille et une Nuits* sont nées. Mais pourquoi Proust, dans les dernières pages de son roman, les jumelle-t-il étroitement avec les *Mémoires* de Saint-Simon ? (III, 1043 et 1044.) C'est que son livre les unira, les amalgamera en une seule et même œuvre. Pourtant, leurs fonctions seront distinctes. Ici encore, la construction du *Temps retrouvé* sur deux pivots est révélatrice : après les « avertissements » magiques qui renvoient aux Contes arabes, la fête travestie évoque Saint-Simon, qui y est partout présent en filigrane, par tant de rappels des sociétés Guermantes et Verdurin autrefois traversées, tout ce monde qui fut le monde de Swann, grand lecteur des *Mémoires*. De ce point de vue particulier, la *Recherche* pourrait se résumer en cette formule : des *Mille et une Nuits* de *Combray* aux *Mille et une Nuits* du *Temps retrouvé* à travers Saint-Simon. Les deux grands livres modèles se trouvent intimement joints, comme Swann et le héros, si différents et pourtant inséparables.

***

Il semble donc que les livres de chevet des personnages proustiens aient une destination et une signification. Comme une enseigne au-dessus de leur tête, comme un leit-motiv wagnérien, ils attirent notre attention sur un trait essentiel de leur destinée ou de leur fonction; comme un éclairage indirect, ils servent à projeter sur eux une lumière supplémentaire; ils permettent à l'auteur de suggérer maintes choses sans les dire. Ce sont de ces ressources secrètes qui renforcent et enrichissent une architecture complexe, et de ces moyens raffinés qui plaisaient à Proust comme ils enchantent son lecteur attentif. Ils sont au reste bien à leur place dans une œuvre dont les personnages importants vivent tous d'une relation organique et révélatrice avec l'art et avec des œuvres. Par ce procédé très volontaire et très savant, Proust dévoile en même temps la nature de ses héros et la manière dont il compose.

IV. — Fonction de l'amour.

Encouragé par les résultats acquis, on est porté à poursuivre l'investigation. Il conviendrait maintenant de rechercher, à propos de chaque épisode et de chaque personnage, quel est son degré de solidarité avec l'ensemble, son lien avec le thème central, sa fonction dans l'organisation générale de l'œuvre, ou, à défaut, de constater son éventuelle indépendance et de l'expliquer peut-être par un accident de genèse. Je me bornerai, pour terminer, à quelques considérations sur les principaux cycles amoureux.

Combray d'abord, *Un amour de Swann* ensuite forment donc les deux assises sur lesquelles repose l'édifice, les deux piles de l'arche, apparemment très éloignées au départ, mais destinées à se rapprocher, comme les deux « côtés » de Méséglise et de Guermantes. Les signes de cette jonction apparaissent dès *Combray* et se précisent dans les *Jeunes filles*, avec Gilberte, fille de Swann, qui jette un pont entre Swann et le héros, avec Bergotte, ami des Swann et de Gilberte, que le héros avait déjà associé naguère à ses premiers rêves sur Gilberte. Une femme aimée et un artiste admiré, on retrouvera cette association par la suite, elle n'est sûrement pas due au hasard [18]. Pour le moment, nous n'en sommes qu'aux initiations, elles sont déjà couplées : Gilberte, ou l'apprentissage de l'amour, Bergotte, ou l'apprentissage de l'art. Gilberte sera dépassée, l'expérience de l'amour approfondie avec Albertine, comme Bergotte sera dépassé, l'expérience de l'art approfondie avec Elstir et Vinteuil.

Après le livre de Gilberte et de Bergotte, qui est aussi

---

(18) C'est J. Levaillant qui en fait la remarque : « Par une correspondance probablement délibérée, un contrepoint esthétique accompagne chacune des principales aventures amoureuses : Vinteuil-Odette, Bergotte-Gilberte, Elstir-Albertine ». Observation pénétrante. Je ne doute pas, pour ma part, que cette correspondance ne soit délibérée. Voir l'article de J. Levaillant dans la *Revue des sciences humaines*, 1952.

celui de Paris et des Champs-Elysées (première partie des *Jeunes Filles*), vient, avec la seconde moitié des *Jeunes filles*, ce qu'il faut appeler le livre de la mer : Balbec où apparaissent Elstir, peintre de la mer, et Albertine, fille de la mer, née de l'écume de la mer à laquelle elle demeurera toujours associée dans l'imagination du héros; qu'on se rappelle les sommeils marins de la jeune fille dans la *Prisonnière*. La mer qui, semblable à Albertine, n'est jamais la même, ce sera le symbole de l'être aimé selon la vision proustienne, fantôme sans unité ni consistance, image successive et insaisissable.

Annoncé dès Balbec par les apparitions de Mme de Villeparisis, de Saint-Loup, de Charlus, le milieu Guermantes se déploie dans les sections suivantes, *Le côte de Guermantes* et *Sodome et Gomorrhe*, mêlé à d'autres milieux, Doncières, la Raspelière, le second Balbec. Cette partie médiane de l'œuvre, qui fait foisonner les groupes humains et les personnages de toutes sortes, est destinée à mettre sous nos yeux une vérité dont le héros ne prendra conscience que plus tard : toute activité sociale est un leurre et engendre un état de mort spirituelle pour qui a vocation de créateur; plus on donne au monde extérieur, plus on s'éloigne des « grâces » sans lesquelles il n'y a pas d'artiste. Cette partie médiane correspond en effet à la période centrifuge durant laquelle le héros, découvrant la société, se détourne de lui-même et oublie sa vocation. Il l'a reniée depuis le jour où lui fut donné l'inutile avertissement des trois arbres de Balbec. Ce fut la dernière extase, l'appel resté vain parce que mal écouté; et la voiture l'emporte loin de ce qu'il croit « seul vrai », loin de son moi profond, image de la vie qui l'entraîne vers les autres, vers le monde, ce « royaume de néant ». De fait, les signes et les réminiscences se raréfient à l'extrême durant cette période, c'est la traversée d'un désert.

Les sources taries vont rejaillir dès la *Prisonnière*. La soudaine explosion de l'amour-jalousie abolit d'un coup le monde et ses fantoches, ramène le héros sinon à lui-même, du moins à sa chambre fermée où lui sont accordées parfois des heures de solitude. Aussitôt reparaissent les réminiscences, bientôt suivies de la rencontre d'une grande œuvre, le septuor de Vinteuil; longuement, dans ce champ clos, l'amour et l'art lutteront l'un contre l'autre. La victoire de l'art fera le sujet du *Temps retrouvé*.

Entre *Combray* et le *Temps retrouvé*, entre l'ouverture et le finale symétrique, de la vocation pressentie à la vocation révélée, il y a donc tout cet « entre deux », cette marche errante dans la nuit que jalonnent deux séries d'expériences : celles de l'intemporel sous la double forme des extases de mémoires et des rencontres avec l'art, celles de l'intermittence et du temps, en d'autres termes le monde et plus encore l'amour. « Ce que nous croyons notre amour, notre jalousie, n'est pas une même passion continue, indivisible. Ils se composent d'une infinité d'amours successifs, de jalousies différentes et qui sont éphémères, mais par leur multitude ininterrompue donnent l'impression de la continuité, l'illusion de l'unité. » (I, 372.) Quand cette illusion d'unité et de continuité se sera dissipée, la voie sera libre pour la connaissance de l'unité et de la continuité véritables. Mais pour que la « démonstration » soit convaincante, Proust nous demande d'accompagner son héros jusqu'au fond du labyrinthe et de faire avec lui l'exploration complète de l'amour.

La vérité de l'analyse proustienne de l'amour est contestable, mais c'est sa fonction dans le roman qu'il faut considérer, c'est elle qui en éclairera le sens. Un roman n'est ni un traité de psychologie, ni un recueil de maximes. On a souvent, et dès le début, voulu faire de Proust un moraliste; si c'est un point de vue possible, il ne doit pas avoir la priorité. Sans doute Proust donne-t-il parfois prise au malentendu; il y a des pages où il se fait moraliste; il légifère, son style change alors, sa phrase devient brève, linéaire et péremptoire, elle s'offre comme une maxime. Mais est-ce là le vrai Proust ? Ne fait-il pas tort au romancier ? Lui-même croyait, semble-t-il, à la généralité de sa peinture de l'amour; on a le droit de la tenir pour limitée et systématique; il creuse en profondeur, mais dans un cercle étroit. Peu importe; évitons d'isoler cette expérience et ne retenons que sa fonction dans l'œuvre; de ce point de vue, on comprend très bien pourquoi elle est limitée et systématique, et doit même l'être; c'est par son échec même qu'elle concourt au dénouement.

A cet égard, le roman s'organise sur deux grands cycles amoureux aux correspondances et superpositions étroites : Swann et Odette, le héros et Albertine. Deux cycles intermédiaires les relient, celui de Gilberte et celui de la duchesse de Guermantes, l'une et l'autre en rapport avec Swann et tirant leur origine de Combray, de chacun des deux « côtés » qui connaîtront de ce fait une jonction inattendue.

A ces quatre cycles centraux, il faut en joindre deux autres qui présentent deux positions extrêmes dans la gamme des amours possibles :

l'amour avorté pour Mlle de Stermaria, illustrant la contingence de la passion; cet amour aurait pu naître et se développer, si d'infimes hasards n'avaient joué contre lui, alors que des hasards non moins infimes devaient déclencher l'amour pour Albertine;

l'amour accompli pour la mère et la grand-mère, en qui je ne vois qu'un seul et même être en deux personnes, tant elles se doublent, s'imitent, se font mutuellement écho d'un bout à l'autre de l'ouvrage; je ne mentionne en passant que quelques indices de cette unité des deux personnages : l'insistance de Proust à montrer la mère s'identifiant à la grand-mère après la mort de celle-ci, jusqu'à la mimer en tout, jusqu'à la ressemblance totale; leur commune prédilection pour un même auteur de chevet, Mme de Sévigné; leur genèse solidaire, la mère unique de *Jean Santeuil* se subdivisant dans la *Recherche* en mère et grand-mère. Ici, la relation amoureuse du héros, car il s'agit d'un amour au sens le plus fort du terme, est une relation heureuse; cet amour-ci est le seul parfait, le seul continu, il n'a eu ni à naître, ni à se développer; exempt de toute contingence, il prend sa source à Combray, site de la permanence et de la profondeur, où il règne à l'exclusion de tout autre; aussi est-il le seul à réaliser le miracle de la communication, qui s'y fait pleinement, jusqu'à la communion : elle « était moi et plus que moi » (II, 756).

Pur amour, combien différent de l' « impur amour » pour Albertine. Pourquoi Proust met-il alors tant d'insistance à les rapprocher, à les juxtaposer ? A Balbec, les deux amours pour la grand-mère morte et pour Albertine vivante s'entrecroisent, luttent pied à pied; le baiser d'Albertine évoque celui de la mère, le soir; Albertine morte côtoie de nouveau la grand-mère dans les rêves du héros, leur survie à toutes deux puis les progrès de l'oubli suivent des schémas identiques. Ces analogies si fortement soulignées [19] ne rendent que plus visible le contraste entre les deux amours qui opposent, une fois de plus, le temps et l'intemporel : Albertine morte finit par s'effacer complètement, tandis que la grand-mère morte est ressuscitée à la faveur d'une réminiscence involontaire dans toute sa « réalité vivante »; à l'inverse d'Albertine qui se dissout dans la multiplicité des moi fugitifs : « j'aurais été incapable de ressusciter Albertine », la grand-mère appartient, elle seule, à l'éternité intérieure [20].

Quant aux cycles annexes, Saint-Loup et Rachel, Charlus et Morel, ils servent de contre-épreuve. Ils se distinguent des autres en ceci qu'ils ne concernent pas le héros; celui-ci les regarde en spectateur indifférent; c'est pour constater l'abîme qui sépare la Rachel, le Morel réels de l'être aimé par Saint-Loup, par Charlus; entre ce qu'il voit et ce que voient les amants, il n'y a rien de commun. L'observation rejoint et renforce les

---

(19) Par exemple : « Alors, il se passa, *d'une façon inverse, la même chose* que pour ma grand-mère... » III, 641.

(20) Faut-il voir aussi dans ce rapprochement des deux amours le maléfice, souvent invoqué par la critique, de la mère profanée? Peut-être, mais très secondairement. L'assimilation au cas de Vinteuil ne me paraît pas convaincante. Il faut que Vinteuil soit humilié comme homme, de toutes les manières, pour que soit mieux exalté l'artiste. Rien de semblable pour la mère et la grand-mère.

conclusions valables pour les autres cycles : on n'aime que des « fantômes ».

On a déjà noté qu'à chacun des grands cycles amoureux se trouve associé un artiste. Comme Bergotte, et la Berma, sont joints à Gilberte, Proust lie le Vinteuil de la sonate à Swann, Elstir à l'Albertine de Balbec et le Vinteuil du septuor à l'Albertine de Paris.

Cette juxtaposition constante des femmes aimées et des artistes porte signification. Il y a entre l'expérience amoureuse et l'expérience artistique un lien qui est à la fois de similitude et d'opposition. Similitude : l'amour aussi bien que l'art est commandé par la vision subjective, l'imagination crée son objet; tel est du moins le résultat de l'analyse proustienne de l'amour, qui révèle ici sa précise destination. Opposition : c'est parce que l'amour fait appel à l'imagination qu'il entre en conflit avec l'art. Les vicissitudes de ce conflit animent dramatiquement la progression du héros.

C'est d'abord Swann qui détourne au profit d'Odette non seulement la petite phrase de la sonate, cette messagère de « réalités invisibles » (I, 211), mais aussi la peinture florentine dont il est féru. Il voit en Odette un Botticelli, et il fonde son amour sur cette confusion; il se donne le change en prêtant à l'amour des vertus esthétiques qui ne sont pas siennes. Entre l'art et l'amour, il opte pour l'amour tout en s'imaginant rester fidèle à l'art qu'il trahit. Or cette équivoque est aux yeux de Proust la plus grave des escroqueries, le péché mortel de sa morale : « l'idolâtrie », qui confond le plan de l'art et le plan de la vie.

Par la suite, le héros recueille, on sait pourquoi, l'héritage spirituel de Swann, y compris ses péchés et ses tentations : c'est avec la fille de Swann qu'il fait l'apprentissage d'un amour et d'une jalousie qui empruntent nombre de traits à la passion de Swann pour Odette; parallèlement, il reçoit de Swann le goût des peintres du Quattrocento et le legs de la sonate : quand Odette en joue l'andante dans son salon, c'est pour Swann la dernière audition de la petite phrase, qui n'a plus rien à lui dire, mais c'en est la révélation pour le héros adolescent. Toujours selon le même parallélisme, c'est avec une autre femme, Albertine, que le héros fera sa véritable expérience de l'amour, et c'est avec une autre œuvre de Vinteuil, le septuor, qu'il fera l'expérience décisive de l'art comme création. Voilà pourquoi Albertine et la musique ne cessent de s'affronter dans la *Prisonnière* en un drame qui commande tout le développement de ce volume, alternant leurs victoires jusqu'au chant d'espérance qui clôt la méditation sur le septuor : l'art est plus réel que la vie, que l'amour, il est d'un tout autre ordre, et c'est la vie, c'est l'amour qui sont illusion. Albertine est-elle une œuvre d'art pour moi ? se demande le héros, quand elle lui rejoue le septuor dans sa chambre. Et il se répond : « Mais non, Albertine (n'est) nullement pour moi une œuvre d'art. » (III, 384.) Albertine ne lui sera pas une nouvelle Odette, elle est déjà vaincue sur l'essentiel, elle n'a plus qu'à disparaître. Le héros donne donc au duel la solution opposée à celle de Swann et de Charlus, il n'est pas loin de surmonter la tentation d' « idolâtrie ».

Les deux forces qui se disputent ainsi l'esprit et la destinée du héros se trouvent être en correspondance rigoureuse avec les deux expériences que nous avons vues s'entrelacer et s'organiser symétriquement dans le premier et le dernier chapitre du roman : le temps et l'intemporel. En effet, cette Albertine qui s'efface devant la « joie supra-terrestre » proclamée par le septuor, elle est la discontinuité temporelle, elle est la « grande déesse du Temps » (III, 387); et la réalité mystérieuse qui l'emporte sur Albertine, l'art, on découvrira au dénouement qu'elle n'est autre que ce qui transcende le temps.

LA STRUCTURE DU DRAME CLAUDELIEN : L'ECRAN ET LE FACE A FACE

Proust a mis dans la bouche de son héros causant avec Albertine le premier principe de sa doctrine de critique : « Et repensant à la monotonie des œuvres de Vinteuil, j'expliquais à Albertine que les grands littérateurs n'ont jamais fait qu'une seule œuvre, ou plutôt réfracté à travers des milieux divers une même beauté qu'ils apportent au monde. » Comme l'auditeur passionné de Vinteuil a reconnu, de la sonate au septuor, des « phrases-types », le lecteur de romans décèle, devant son amie émerveillée, des situations et des figures superposables d'un roman à l'autre chez Thomas Hardy, chez Stendhal, chez Dostoïevski ; et il lui montre qu'il en va de même en peinture : les tableaux de Vermeer présentent toujours « la même table, le même tapis, la même femme, la même nouvelle et unique beauté ». L'artiste de génie se signale par une « monotonie » révélatrice; les « phrases-types », les identités de structure sont les signes de son originalité créatrice, étant les « fragments disjoints » d'un univers singulier. Cette méthode critique de Proust, exercée par lui de façon incomparable, et logiquement conforme à toute son esthétique, me paraît applicable à d'autres artistes, même s'ils ne professent ni l'esthétique ni la métaphysique de Proust. Ainsi Claudel parle de ses drames comme Proust fait des romans de Hardy ; c'est toujours la même œuvre sous des figures différentes :

« Le *Soulier de satin,* c'est *Tête d'Or* sous une autre forme. Cela résume à la fois *Tête d'Or* et *Partage de Midi.* C'est même la conclusion de *Partage de Midi* » [1].

C'est dans cet esprit que je voudrais essayer de dégager les « situations-types » du théâtre claudélien ou, pour emprunter une expression à Claudel lui-même, le *dessein préétabli* : « Un poète ne fait guère que développer un dessein préétabli »; dessein qu'il ne faut pas entendre comme concept intellectuel, mais comme forme ou appel de forme. Il s'agit de mettre le doigt sur ce que Claudel, du point de vue du créateur et de la génération de l'œuvre, appelle « l'étincelle... germinale autour de laquelle tout vient s'organiser et se composer », ou « la note magistrale » sur laquelle « tout le poème se coordonne », ou encore la « touche-mère » [1].

I. — L'écran.

A la fin de l'unique scène où Rodrigue et Prouhèze, dans le *Soulier de Satin,* sont mis face à face, se place un geste dont le sens n'est pas donné explicitement : Rodrigue « *baisse la tête* et pleure. Dona Prouhèze *s'est voilée de la tête aux pieds* »; puis des esclaves noirs l'emportent dans une barque funèbre, vers la mort prochaine. En cet instant décisif, le seul que le poète leur concède pour s'affronter et se contempler directement, les amants cessent de se regarder; l'un baisse les yeux, l'autre se voile : un écran s'interpose.

Ce rideau intercepteur, il apparaît fréquemment, sous des formes diverses, et toujours dans l'une ou l'autre des scènes capitales où les héros sont mis en présence : Tête d'Or rencontre deux fois la Princesse : d'abord, elle se montre voilée de noir; au dénouement, elle se penche sur le corps du roi mort et le baise, mais de ce corps, « l'orgueilleux vivant... s'est éloigné », c'est à une dépouille interposée qu'elle offre ce signe conjugal. La *Ville* présente une scène analogue d'engage-

(1) à Fr. Lefèvre, dans *Une heure avec...*, 5e série.

ment ; on étend sur la femme un voile : « Je te salue sous ton voile... (il touche de la joue sa joue voilée); Je vous salue, ma femme... » Dès la première version de la *Jeune fille Violaine,* Jacquin voit arriver sa fiancée « derrière un espalier... — Quelle est celle-ci qui se tient debout en face de moi, plus douce que le vent l'été, telle que la lune *à travers les jeunes feuillages*... O jeunesse de ma fiancée *à travers les branches en fleurs, salut !* » Les versions suivantes ne manqueront pas de reprendre ce motif en le renforçant. Les yeux clos de Violaine aveugle au dernier acte, les « yeux fermés » d'Isé au dénouement du *Partage,* et encore les « yeux fermés » de Sygne de Coûfontaine pour accueillir son cousin lors de leur dernière entrevue, autant de reprises du rideau séparateur. Et c'en est une de plus que le personnage de Pensée dans le *Père humilié,* née les yeux bandés, toujours dans cette « nuit où je suis étroitement enveloppée depuis ma naissance comme dans un voile » (III, 2).

Le *Père humilié* se termine sur une scène qui est un mariage à distance et par personne interposée. En ce point suprême de la courbe dramatique, le couple est à la fois plus séparé et plus uni que jamais : Orian vient de mourir, Pensée vient de sentir bouger en elle son enfant, et elle va épouser Orian dans la personne de son frère. Le signe de cette présence sans contact, c'est la corbeille de tubéreuses où repose le cœur d'Orian; c'est à travers cet écran végétal que communiquent le cœur de l'époux mort et le visage de la fiancée aveugle. Ce tombeau de fleurs au milieu de la chambre domine tout ce dénouement, jusqu'à l'ultime geste de Pensée tombant « à genoux devant la corbeille qu'elle enveloppe entièrement, ainsi qu'elle-même, de son châle »; nouveau voile qui la sépare cette fois des vivants, pour la réunir, à l'instar de sa cécité, au seul invisible. Pensée dès lors se tait, mais elle pourrait murmurer, comme une de ses sœurs de la *Cantate à trois voix* : « Je n'ai qu'à rentrer dans mon cœur pour être avec lui et qu'à *fermer les yeux* pour cesser d'être en ce lieu où il n'est pas... »

Ainsi, l'écran intercepteur, sous des formes diverses, apparaît dans ce théâtre avec une fréquence digne d'attention; sans doute, sa signification n'est pas encore tout à fait claire; il semble même qu'elle n'aille pas sans complexité; le voile ne sépare pas seulement, il désigne, il relie :

« Je vois ma fiancée à travers les feuilles et les fleurs qui me la *montrent* à demi et la *cachent*... [2] »

Ce qui est certain, c'est qu'il se présente toujours dans les scènes capitales et que ces scènes sont toutes des rencontres où deux êtres se heurtent l'un à l'autre en un choc décisif pour leur destinée. Nous voici donc orientés vers une « situation-type » du théâtre claudélien.

*
* *

II. — Un schème constant : le face à face séparateur.

Le choc de deux destinées soudain solidaires qui s'emparent brutalement l'une de l'autre : telle est la scène centrale ou la cellule-mère autour de laquelle tout drame de Claudel tend à s'organiser ; une confrontation qui est une prise de possession, mais aussitôt rompue, la rupture se déclarant presque simultanément, et avec une soudaineté, une violence égales à la saisie. A cette situation première correspond habituellement, à la fin de la pièce, une scène qui en est la variante renversée : un acte de séparation s'affirmant comme un acte de jonction et confirmant sur un plan supérieur la possession initiale. Autour de cet axe ascendant, selon un mouvement et des progressions variables, vont tourner toutes les pièces de Claudel.

Dès le « Fragment d'un drame », vestige d'une œuvre détruite de 1888, figure le schéma de base, étreinte et brusque rejet, avec ce renversement immotivé, cette

(2) *Jeune fille Violaine*, deuxième version, II, 2.

« modulation » qui sera la marque si singulière de tous les grands duos des amants claudéliens :

« — *Je ne me séparerai point de toi.*
— Jure donc, par notre lien conjugal.
— Je le jure...
(Il approche les lèvres comme pour la baiser sur les cheveux, puis il se détourne avec une sorte de répulsion.)
Je ne puis
Pas !
Laissez, ne me touchez plus.
(Marie *se sépare* de lui...)
Femme, *adieu !...* » [3].

Une adhésion qui se convertit en refus : les premiers drames tâtonnent dans cette direction, mais s'éparpillent lyriquement, à la recherche de leur structure dramatique. Dans *Tête d'or,* les scènes de face à face ne manquent pas, au contraire, elles prolifèrent, mais les liaisons et les progressions sont mal assurées. Simon inhume sa femme : un lien rompu, un adieu, un corps jeté dans la terre, dont rien ne survit ; un nouveau couple succède aussitôt à celui qui s'est désagrégé, deux hommes — formule qui ne sera plus reprise —, Simon et Cébès, dessinent le mouvement qui deviendra constant pour les couples d'amants : rencontre, engagement et séparation, puis, en deuxième partie, jonction passionnée au moment même où elle se détruit par la mort de Cébès :

« Ne te sépare pas de moi...
O nœud indissoluble, nos deux innocences s'étreignent, nos deux âmes face à face
Se regardent... »

Et, de nouveau, le geste de Simon rejetant loin de lui le cadavre ; il ne sera plus question de Cébès, la Princesse

(3) *Théâtre,* éd. Pléiade, I, p. 27.
A propos de cette scène, dont certains éléments se retrouveront dans *Partage de Midi,* Claudel fera remarquer à Amrouche qu'il a vécu ici, à vingt ans, dans sa poésie, ce qu'il vivra biographiquement douze ans plus tard, lors de la crise qui nourrira *Partage de Midi.* Le « dessein préétabli » appartient à l'œuvre, que la vie imite.

prend immédiatement sa place, pour maudire et fuir ce Simon-Tête d'Or qu'elle retrouve au dénouement, où ils vont mourir côte à côte ; l'inattendu se produit, qui deviendra dans ce théâtre l'habituel : un acte d'adhésion et de don mutuels, auquel ne manque pas la reprise du don, le refus de la part de Tête d'Or, qui meurt seul. Ce dénouement est l'ébauche des futurs dénouements, où la mort séparatrice se fera l'agente des plus hautes unions, il n'en est que l'ébauche, car Tête d'Or, solitaire et révolté contre la mort, conclut cette fois encore par le rejet sans contre-partie, le retrait dans l'absence. Aussi ce drame superpose-t-il trois relations de semblable issue au lieu de s'élever par progression en les enchaînant sans les répéter, ainsi que le feront les drames futurs. On constate que Claudel ne réussit pas à mettre au point son système dramatique quand il dispose d'un héros qui ne croit pas à une destinée surnaturelle ; de là le piétinement de ce héros, en dépit de la véhémence qui le pousse en avant, de là sa frénésie destructrice. Au reste, belle pièce juteuse où s'élaborent dans le bouillonnement de la profusion les solutions claudéliennes.

Les tâtonnements se poursuivent avec la *Ville*, qui marque même un recul sur *Tête d'Or ;* Thalie et Cœuvre se rencontrent et s'engagent au premier acte, mais ne reparaissent ni dans le second, ni dans le troisième ; rien d'étonnant si cette pièce semble dramatiquement amorphe ; en revanche, elle prend forme dans la seconde version, où l'auteur développe et distribue son motif dominant, et fait de son couple un personnage continu, d'abord uni, puis disjoint, enfin se rejoignant mais à distance.

C'est la *Jeune fille Violaine* qui, dès sa seconde version, offre pour la première fois le dispositif complet et organiquement agencé du drame claudélien. La scène centrale, c'est la confrontation, au deuxième acte, de Violaine et de Jacques Hury ; leurs cœurs s'appartiennent ; c'est une scène de séparation, d'irrémédiable rupture, par la volonté de Violaine : « Non, je ne vous épouserai pas ! », ce qui ne veut pas dire : je ne vous aime pas, — tout au contraire ; adhésion et retrait simultanés, impliqués l'un par l'autre. Violaine s'en va, Jacques Hury ne comprend pas — mais le spectateur comprend, car il a assisté à la scène d'ouverture entre Violaine et Pierre de Craon, scène correspondante qui fournit la grille nécessaire. Cette scène est une variante de la situation-type : deux destinées se révélant brusquement l'une à l'autre et l'une par l'autre, un consentement immotivé, « par un parti soudain entre nous cette entente secrète » ; mais à ce premier temps succède immédiatement la *mutation*, la séparation définitive ; l'aveu engendre l'adieu :

« Maintenant je puis dire vraiment adieu, car j'ai trouvé quelqu'un qui le puisse recevoir. Douce sœur, adieu ! bientôt vous ne me verrez plus ».

Violaine ne cesse pas d'appartenir à son fiancé, mais c'est le mode d'appartenance qui se trouve transformé ; Pierre de Craon s'interpose, qui représente le rejet du bonheur, de l'amour dans la présence ; il joue le rôle d'écran ; se donner à lui, c'est donc le quitter, mais pour quitter aussi Jacques Hury. La situation du second acte va trouver son analogue dans celle du dénouement, mais en se renversant : la séparation se mue en réunion, d'autant plus étroite que la séparation s'est aggravée, la Violaine qu'on ramène à Jacques est aveugle et mourante ; dans l'imminente absence se scellent les fiançailles spirituelles, avec reprise des paroles dites lors des fiançailles rompues, et de l'image du rideau intercepteur mais transparent :

« O ma fiancée à travers les branches en fleurs ! » Dénouement ouvert, comme tous les dénouements de Claudel. Sur le chemin ascendant de la progression mystique, la mort ouvre plus de perspective qu'elle n'en ferme.

Partage de Midi doit une grande part de sa beauté, de sa force dramatique au fait qu'il livre un état pur de la structure claudélienne : au premier acte, la rencontre, révélation soudaine d'identité et d'appartenance, « Mesa, je suis Isé, c'est moi... » ; don et adhésion aussitôt suivis d'un pacte de séparation : « Non, Mesa, il ne faut point m'aimer... — Isé, je ne vous aimerai pas... » Le second acte répète, dans le charnel, ce face à face de saisie ; c'est l'étreinte, mais dans le cimetière ; acte d'union qui annonce la mort ; modulation que va reprendre le troisième acte, mais en sens contraire et ascendant : un retrait qui s'inverse imprévisiblement en retour. A la rencontre en plein midi de l'ouverture répond maintenant le face à face nocturne devant la mort, la prise de possession dans l'avenir surnaturel ; ce dernier acte de présence se formule encore en termes de séparation : « Adieu, je t'ai vue pour la dernière fois ! », mais il y a progrès au regard des situations antérieures, la répétition est ascendante : l'absence entrevue n'exclura pas une forme de présence à distance :

> « Par quelles routes longues, pénibles,
> *Distants encore que ne cessant de peser*
> *L'un sur l'autre,* allons-nous
> Mener nos âmes en travail ? »

Entre *Partage de Midi* (1905) et la Trilogie (1908-1916), il y a des changements sensibles, le poète a conscience d'entrer dans une « nouvelle ère » de sa création dramatique, où « la composition domine l'inspiration » ; c'est qu'il commence à prendre quelque distance vis-à-vis de son drame intérieur ; c'est aussi qu'il s'ouvre à ce moment à des préoccupations scéniques de réalisation et de représentation car on se met à jouer certaines de ses pièces, il lui arrive d'assister à des séances de travail ; il se rend compte que, pour l'essentiel, son œuvre dramatique est constituée par un jeu de forces en mouvement qui se fécondent en s'opposant, par des personnages qui se connaissent dans le heurt, amour ou haine ; c'est là sa vérité, déjà en germe dans la situation-type originelle ; Claudel va dès lors en faire une application plus systématique. Quant à l'appel à l'histoire, au cadre d'époque qui est une nouveauté dans la Trilogie, c'est une nouveauté de surface, qui ne sert qu'à fournir, en manière de concession à la tradition « psychologique », une motivation extérieure à des refus et à des ruptures dont la véritable raison est dans le schème constant de Claudel ; ces diverses transformations n'altèrent pas le développement autonome de ce théâtre dans l'axe de sa situation originelle.

La Trilogie présente en fait trois nouvelles variantes du face à face simultanément unifiant et séparateur : à une union idéale, et réelle sur le plan des sentiments profonds, se substitue chaque fois un mariage entre ceux qui, sur ce plan des sentiments, sont hostiles et incompatibles, même s'ils ont des intérêts communs. Dans l'*Otage,* l'union réelle Sygne-Georges fait place au mariage Sygne-Turelure ; le *Pain dur* superpose à l'union réelle Lumir-Louis le mariage Louis-Sichel; le *Père humilié,* dans des conditions certes différentes, couronne l'union Pensée-Orian par le mariage Orso-Pensée. Les couples sont systématiquement dépareillés. Si l'on y regarde d'un peu plus près, mais sans entrer dans le détail, on en verra la raison dans le traitement de la situation-type. L'*Otage* présente d'emblée la confrontation et l'engagement des deux cousins féodaux : « Nos âmes l'une à l'autre *se soudent* sans aucun alliage ! »; sur quoi les circonstances ou, pour mieux dire, les exigences du schème claudélien les désunissent; mais, apparemment disjoints durant toute la pièce, le dénouement les réunit à nouveau, bien plus proches que lors de leur fusion initiale, quoique ou plutôt parce que séparés par un écran plus opaque, leur mort solidaire ; la table où Turelure fait placer leurs deux cadavres côte à côte, c'est le lit conjugal des amants claudéliens. Dans la tragédie classique, on mourait solitaire ; chez Claudel, la mort est un mariage, le seul mariage réel, et ouvert sur l'au delà de la pièce et de la vie terrestre. C'est toujours la présence à travers l'absence.

Avec le *Pain dur,* Claudel a voulu faire un négatif de son drame idéal ; au lieu de « composer », les personnages, occupés de leur seule différence, ne se rencontrent que pour se détruire ; rien ne vient compenser ici des ruptures qui n'auront pas de retours. La Polonaise Lumir étant seule de la race des héros qui se rencontrent en se refusant, la pièce ne peut s'organiser autour de la constante claudélienne ; pourtant, la scène-type ne manque pas ici non plus, mais elle est « mouillée », dira Claudel, elle n'aboutit pas, Lumir, note sans harmonique, ne trouve pas d'écho dans son partenaire ; elle ne peut qu'imaginer le face à face fulgurant que vivent les autres héros claudéliens, mais elle le fait en des termes singulièrement éclairants :

> « Deux âmes humaines dans le néant qui sont capables de se donner l'une à l'autre,
> Et en une seule seconde, pareille à la détonation de tout le temps qui s'anéantit, de remplacer toutes choses l'un par l'autre !...
> Viens avec moi et tu seras ma force et ma solidité.
> Et moi, je serai la Patrie entre tes bras, la Douceur jadis quittée, la terre de Ur, l'antique Consolation !
> Il n'y a que toi avec moi au monde, il n'y a que ce *moment* seul enfin *où nous nous serons aperçus face à face !* » (III, 2).

L'appel reste sans réponse, et c'est l'adieu sans contrepartie, toutes issues étant bouchées :

> « LUMIR : ... Adieu !
> LOUIS : Sans aucun espoir.
> LUMIR : Oui, adieu sans aucun espoir, dans le ciel et sur la terre ! »

Il faut garder dans l'esprit cette version désespérée du face à face claudélien quand on assiste, dans le *Père humilié* qui fait suite, à la rencontre correspondante, sur le Palatin, d'Orian et de Pensée ; dans ce duo admirable, le « je t'aime » engendre, comme toujours l'adieu, mais un adieu qui s'ouvre sur une autre rencontre, sur une nouvelle forme de présence ; Orian ne reviendra pas, mais son union avec Pensée se consommera à travers le rideau de la mort symbolisée par les fleurs qui le cachent en le révélant :

> « dès maintenant je puis me pencher sur lui et respirer son âme, cette bouffée de parfum qui monte de sa sépulture. »

III. — Le Soulier de Satin.

Après la Trilogie, le *Soulier de Satin,* qui marque, du point de vue formel, un nouveau virage et, à première vue, un retour au mode de composition des premiers drames ; après la composition serrée, à charpente apparente, une composition complexe et foisonnante. Les deux œuvres se ressemblent toutefois par le sentiment, si fort chez Claudel, des grands ensembles solidaires, dans le temps pour la Trilogie, qui s'étend sur plusieurs générations que leurs destins associent, dans l'espace pour le *Soulier,* qui embrasse tous les continents, toute la terre saisie dans son unité, en un mouvement d'unanimité et de joie sans exemple dans l'œuvre antérieure de Claudel.

S'attacher à reconnaître dans le *Soulier de Satin* une forme, un ordre de composition peut d'abord paraître une gageure, tant cette œuvre fourmillante affiche son désordre, — qui est l'ordre de l'inspiration —, jusque dans les indications de mise en scène données par l'auteur : « Il faut que tout ait l'air provisoire, en marche, bâclé, incohérent, improvisé dans l'enthousiasme », car « le désordre est le délice de l'imagination » ; on voit un personnage à la Pirandello s'échapper de sa loge à demi costumé, bousculer les machinistes, et se faire l'annoncier, présentant les personnages, discutant l'action, s'adressant en confidence au public pour lui parler métier, ressources du dramaturge, à la manière de certains romanciers du XVIIIe siècle, puis se répandant en propos d'un anti-classicisme agressif : « car vous savez qu'au théâtre nous manipulons le temps comme un accordéon, à notre plaisir, les heures durent et les jours sont escamotés. Rien de plus facile que de faire marcher plusieurs temps à la fois dans toutes les directions ».

Cette manipulation de temps multiples, cette dispersion de l'action en des lieux également multiples, ce « désordre » d'une vie qui s'improvise, ce sont les transcriptions scéniques d'une œuvre qui présente elle aussi, dans sa structure propre, tous les signes de la dispersion, du composite, de la multiplicité, qui mêle les situations les plus aberrantes à l'action principale au point de la couvrir, qui semble oublier toutes les lois du théâtre même le moins unitaire ; quels liens ici entre ces scènes qui sautent d'une ville à l'autre, d'un continent ou d'un océan à un autre ? quels liens entre des personnages innombrables qui souvent ne se connaissent pas, dont beaucoup ne se rencontreront jamais au cours de la pièce ?

Pourtant, Claudel a plus d'une fois remarqué que les parties sont liées à l'ensemble, mais d'une liaison qui n'est pas celle de « l'enchaînement logique ou mécanique »; il s'agirait plutôt d'un réseau de correspondances de nature picturale ou musicale, par accords de valeurs ou de tons. « La forme du *Soulier de Satin* est celle des drames de Calderon ou de Shakespeare que j'ai toujours beaucoup admirée. Shakespeare dans ses dernières pièces employait un système d'actions conférentes qui se rapportaient l'une à l'autre, comme les mots établissent des accords entre eux du seul fait de leur juxtaposition... C'est une trame composée d'un fil bleu, d'un fil rouge, d'un fil vert qui sans cesse paraissent et disparaissent. Ç'a été une vraie joie, un vrai soulagement pour moi de m'éloigner autant que je le pouvais des patrons de l'art classique français ou, du moins, de la manière dont les pontifes d'aujourd'hui se le représentent[4]. » Du reste, un des personnages de la pièce, et non des moindres, dona Musique, parle dans le même sens quand elle dit : « De tous ces mouvements

(4) F. Lefèvre, *Une heure avec...*, 3e série, p. 154; dans le *Soulier*, un de ces pontifes apparaît en bouffon sous les traits d'un pédant de Salamanque qui s'exprime comme Pierre Lasserre et les maurrassiens classicisants.

Sur la composition du *Soulier de satin*, v. *Mémoires improvisés*, p. 278-9 (Homère et la composition par « reflets »), et *Toi qui es-tu?* p. 47 : « Les idées, rapprochées non par une suite logique, mais par les accords de tons, les idées... au lieu de se suivre sur une ligne, s'entrecroisent par deux et par trois, un peu comme les mots dans une phrase latine ».

épars je sais bien qu'il se prépare *un accord*, puisque déjà ils sont assez unis pour discorder... » (III, 1.)

Je bornerai mon examen de la composition de ce drame à un seul point de vue, celui qui fait l'objet de cet essai : quelle est, dans le *Soulier de Satin*, la fonction de la scène fondamentale du théâtre claudélien ? S'y présente-t-elle comme dans les autres pièces ? Y joue-t-elle le même rôle polarisant ?

Les exégètes, et Claudel lui-même, ont parfois rapproché *Partage de Midi* et le *Soulier de Satin*, comme les deux extrémités d'une même chaîne, la question ouverte et la question résolue; Prouhèze succède à Isé, comme elle placée entre trois hommes, l'un qu'elle aime, les deux autres qu'elle épouse successivement... Mais, du point de vue qui nous est apparu jusqu'ici central : le face à face séparateur et la jonction entravée, on est d'abord frappé par les différences. Dans le *Partage*, sévèrement réduit à quatre personnages, comme une pièce de Racine, la « rencontre », sous trois aspects, occupe chacun des trois actes, presque tout le drame; c'est un duo d'amour à peu près continu, un de ces duos sur lesquels Claudel, plus tard, ironisera à propos du *Tristan* de Wagner, ce qui revient à ironiser sur son propre *Partage*, lequel présente avec *Tristan* d'évidentes analogies de forme dramatique. En revanche, le *Soulier de Satin* met en scène le monde entier, y compris le ciel, les anges, les astres; il y a foule, comme dans les drames de jeunesse, une foule qui semble ici destinée à s'interposer entre les deux héros, à faire écran. De fait, dans ces quatre « journées » qui sont comme quatre longues pièces, Rodrigue et Prouhèze, qui en sont pourtant le centre, ne sont mis en présence qu'une seule fois, à la fin de la troisième journée, et c'est pour se quitter à jamais. Il y a là une anomalie ou un tour de force, qui mérite d'attirer l'attention. Qu'en faut-il inférer ? Notre point de vue cesse-t-il d'être valable ? Ou Claudel se dément-il et renonce-t-il ici à son schème constant ?

Ni l'un ni l'autre. On peut même dire qu'au contraire le poète se confirme à l'extrême, et tire les dernières conséquences de son paradoxe de base : la présence dans l'absence. Les drames antérieurs mettaient l'accent sur l'absence dans la présence, sur la recherche tâtonnante de la fusion dans une division que seule la dernière rencontre parvenait, en une mesure variable, à résoudre en présence ou en perspective de présence. Au temps du *Partage,* tout était sombre et lourd dans les mouvements qui jetaient l'un vers l'autre les deux protagonistes; leur union semblait d'autant plus menacée, plus désespérée que le dramaturge multipliait leurs confrontations sur la scène. Le *Soulier* renverse ce rapport; les deux amants, en apparence, scéniquement, les plus disjoints de tout ce théâtre, sont en réalité les plus proches, les plus « soudés » dans leurs destinées, « ces deux êtres qui de loin sans jamais se toucher se font équilibre »; unis bien que séparés, — parce que séparés. Si la relation directe, sur scène, se réduit pour eux à l'unique et brève rencontre du troisième acte, ils sont en revanche constamment liés par un système de relation indirecte. Pour le dramaturge, le problème était là, et la difficulté : maintenir le contact tout en sauvegardant l'absence.

Quels sont à cet effet les moyens dramatiques utilisés par Claudel ? Il va imaginer toute une série de rencontres à distance.

Il y a les rencontres barrées ; un écran impénétrable sépare les partenaires momentanément réunis en un même lieu : Prouhèze, au début de la deuxième journée, dans le château où Rodrigue gît blessé, derrière l'écran d'une muraille, d'une fenêtre fermée, « de l'autre côté de ces carreaux rougeoyants »; elle ne le verra pas et partira pour l'Afrique. Même situation dans la forteresse de Mogador, un peu plus tard (II, 11), à la seule différence que c'est Rodrigue cette fois qui tente l'approche de Prouhèze présente mais invisible, puis rompt le contact.

Il y a les rencontres par la bande, à travers un personnage intermédiaire, une figure-miroir située hors du monde naturel; ainsi saint Jacques, phare céleste et constellation, placé en surplomb voit à la fois l'Afrique et l'Amérique, Prouhèze et Rodrigue, qui se joignent dans son regard :

> « Moi, phare entre les deux mondes...
> Je vois les sillons que font deux âmes qui se fuient à la fois et se poursuivent...
> Tous *les murs qui séparent vos cœurs* n'empêchent pas que *vous existiez en un même temps.*
> Vous me retrouvez comme un point de repère. *En moi vos deux mouvements s'unissent* au mien qui est éternel » (II, 6).

Les exemples ne manquent pas de ces intrusions de l'intemporel qui permettent aux héros d'exister simultanément tout en demeurant éloignés : telle la scène de la Lune (II, 14), par la bouche de qui les deux protagonistes peuvent dialoguer, ou celle, capitale, de l'Ange gardien, qui voit de loin Rodrigue et le rend visible à Prouhèze :

> « L'ANGE : ... que vois-tu ?
> PROUHÈZE : Rodrigue, je suis à toi !
> L'ANGE : Il entend, il s'arrête, il écoute... » (III, 8).

Ou c'est encore l'Ombre double, qui projette dans l'espace scénique une rencontre antérieure, où les amants se sont reconnus et fixés, de sorte que, sous cette forme indirecte, la saisie première se trouve quand même consignée dans la pièce :

> « Et la reconnaissance de lui avec elle ne fut pas plus prompte que le choc et la soudure aussitôt de leurs âmes et de leurs corps sans une parole...
> ... cet homme et cette femme par qui j'ai existé une seconde seule pour ne plus finir et par qui j'ai été imprimée sur la page de l'éternité !...
> Et pourquoi m'ayant créée, m'ont-ils ainsi cruellement séparée, moi qui ne suis qu'un ?... » (II, 13).

C'est la parabole de l'unité dans la dispersion.

Enfin, il y a cet élément continu dans lequel toute la pièce est plongée : la mer. Le drame s'ouvre sur l'épave flottant au milieu de l'Océan où un jésuite, frère de Rodrigue, va passer d'un bond dans l'éternité, pour se clore sur le bateau où, à son tour, Rodrigue est ballotté avant de passer à la même éternité après de longs détours, au terme d'une quatrième journée qui est tout entière une fête nautique sur la mer. Et entre deux, toutes les scènes importantes ont pour lieu ou la mer, ou le bord de la mer, passant de l'Afrique à l'Amérique, de Prouhèze à Rodrigue, car la mer à la fois sépare les deux amants et les unit; elle est le parfait écran claudélien :

> « PROUHÈZE : Je sais que mon bien-aimé est au delà de la mer...
> Je sais que nous buvons à la même coupe tous les deux.
> Elle est cet horizon commun de notre exil.
> C'est elle que je vois chaque matin apparaître étincelante dans le soleil levant,
> Et quand je l'ai épuisée, c'est de moi dans les ténèbres qu'il la reçoit à son tour » (III, 8).

Ce qui lui permet de dire à Rodrigue :

> « Delà la mer, j'étais avec vous et rien ne nous séparait.
> — Amère union. »

La mer est partout dans le *Soulier de Satin* pour signifier la pseudo-séparation qui assure la fusion des amants. Mais il ne faut pas négliger d'enrichir cette signification de tout le symbolisme de l'eau, si actif dans l'esprit du poète, en recourant au besoin à d'autres œuvres, à *Connaissance de l'Est*, aux *Grandes Odes*, aux exégèses bibliques : la mer, c'est l'éternité; l'eau, c'est ce qui lie, c'est la source de l'être, l'âme en contact avec sa Cause, donc avec toutes les âmes, c'est la communion des saints, ce que n'ignore pas la petite Sept-Epées nageant dans la mer :

> « C'est délicieux de tremper dans cette espèce de lumière liquide qui fait de nous des êtres divins et suspendus, des corps glorieux...
> Tout le corps ne fait plus qu'un seul sens, une planète attentive aux autres planètes suspendues...
> ... il y a quelque chose qui vous réunit bienheureusement à tout, une goutte d'eau associée à la mer ! La communion des Saints ! » (IV, 10).

Le *Soulier de Satin* est une pièce marine parce qu'il exalte la réunion des continents séparés et la fusion des âmes distantes et conjointes. Tel est bien le terme où convergaient les drames antérieurs, ramenés à leurs constantes.

De ce point de vue, tout le théâtre de Claudel se révèle homogène; chaque pièce s'organise diversement autour d'une même situation-clé : le face à face combinant la saisie et la rupture, le contact et le retrait.

***

Cette perspective est si centrale, si impérieuse chez Claudel qu'elle commande aussi son interprétation des grandes œuvres d'autrui qui ont compté à ses yeux : les *Choéphores,* Electre et Oreste : une rencontre féconde, une reconnaissance;
Virgile, Didon et Enée : une étreinte et une rupture; et le *Tristan* de Wagner; et le Nô japonais : « c'est quelqu'un qui arrive »; et bien entendu Dante et Béatrice dont Ernest Beaumont a bien montré l'importance capitale dans la pensée et l'œuvre dramatique de Claudel [5]; jusqu'à la *Phèdre* de Racine qu'il découvre tardivement pour l'annexer, non sans quelque violence, à son schème directeur; la déclaration de Phèdre au deuxième acte devient « le plus étroit des corps à corps... Nous touchons au point essentiel du drame Au point essentiel de tout le théâtre de Racine. *Ce corps à corps des amants* ne fût-ce qu'une seconde *dans l'impossibilité* » [6]; ce qui implique un Hippolyte amant de Phèdre, ou du moins fasciné par Phèdre. Déformation révélatrice. Claudel touche « au point essentiel de tout le théâtre de *Claudel* ».

C'est encore avec cette clé qu'il lira la Bible, qu'il interprétera l'histoire de Tobie et Sara, ou celle d'Esther

---

(5) Ernest Beaumont, *The Theme of Beatrice in the Plays of Claudel,* Londres, Rockliff, 1954. Ouvrage remarquable auquel cet essai est souvent redevable.

(6) *Cahiers Mad. Renaud - J.-L. Barrault,* n° 8, 1955, p. 115.

et Assuérus, dont la rencontre est un autre face à face foudroyant qui dénude brusquement tout l'être et le fixe à jamais, image du face à face essentiel, celui de l'âme et de son Créateur : « Voici l'âme sous les enveloppes de la Grâce toute nue et dépouillée en présence de ce Créateur flamboyant et torrentiel [7]. » Il n'y manque même pas l'écran : c'est à travers des paupières closes qu'Esther regarde son Seigneur.

Ne peut-on songer ici à la conversion même de Claudel, lors des vêpres de Noël, telle qu'il l'a vécue et relatée ? C'est encore une *rencontre*, un carrefour créateur, un corps à corps et une reconnaissance, « Et voici que Vous êtes quelqu'un tout à coup », la brusque saisie d'une Présence mais incluant une absence, une présence perçue à travers le voile de la foi.

*
* *

On pourrait étendre l'examen à l'œuvre lyrique, qui progresse sur des voies parallèles; c'est le foyer secret où s'approfondissent les grands thèmes dramatiques. Qu'est-ce que la *Cantate à trois voix*, sinon le chant de la présence dans l'absence ? Trois exilées, « vestales de l'absence », trois états de l'âme séparée de ce qu'elle aime, sous des noms qui désignent trois formes du bonheur, Laeta, Fausta, Beata; trois degrés dans la possession de l'absent, et trois degrés aussi dans la montée vers l'intemporel, vers l'instant où le temps se suspend et où se consomme l'union; et, comme dans les drames, par un retournement tout claudélien, c'est la plus avancée dans l'extase et dans la séparation, la veuve Beata, qui est aussi la plus comblée, la plus étroitement unie à l'absent : « Celui que j'aime... ne m'échappera plus ».

*
* *

Le contact à distance, l'union dans la séparation : du paradoxe inclus dans la situation-clé de son œuvre,

---

(7) *Aventures de Sophie*, p. 46.

Claudel s'est efforcé de rendre compte au grand jour de la pensée élucidante ou justificatrice, que ce soit dans l'*Art poétique* ou dans maints textes de même nature. « J'ai le goût des choses qui existent ensemble. » Une telle déclaration, non isolée, vaut pour tous les ordres de réalité. Tout obéit à la loi de *composition*, c'est la loi de l'artiste comme c'est la loi du Créateur. Car l'univers est une simultanéité, par laquelle les choses éloignées mènent une existence concertante et forment une solidarité harmonique; à la métaphore qui les réunit correspond, dans les relations entre les êtres, l'amour, lien des âmes séparées. Il est donc naturel à la pensée claudélienne d'admettre que deux êtres disjoints par la distance soient conjoints par leur simultanéité et résonnent dès lors comme les deux notes d'un accord, tels Prouhèze et Rodrigue, « dans un rapport inextinguible ».

Ainsi ramenés à la situation de base de ce théâtre, nous pouvons, semble-t-il, conclure qu'elle nous met en possession de la « touche-mère » ou de « l'étincelle germinale » de l'œuvre claudélienne tout entière. Telle est sa *monotonie*.

INDEX

A

ADAM (A.) : 7, 20.
AUERBACH (E.) : 132,133.

B

BACHELARD (G.) : XVII.
BALZAC : III-IV, X, XI, XII, XIII, XIV, 65, 66, 115, 117, 146, *150-154*.
Fille aux yeux d'or : 154.
Louis Lambert : 101.
Lys dans la vallée : 72-73, 100, 102.
Massimila Doni : III.
Mémoires de deux jeunes mariées : XXVI, 66, 81, *99-103*.
Secrets de la princesse de Cadignan : 152, 153.
Séraphita : 101.
Sténie : 101.
BEAUDELAIRE : IV, XIX.
BEAUMONT (E.) : 187.
BÉGUIN (A.) : XVII.
BELLINZANI (Anne).
Histoire des amours de Cléante et de Bélise : 79.
BÉNICHOU (P.) : 7.
Bible : 187, 188.
BERNANOS (G.) : VI-VII.
BLACK (F. G.) : 66, 108.
BLANCHOT (M.) : 145.
BLIN (G.) : 115.
BLUNT (A.) : VIII.
BONALD : 102.
BOPP (L.) : 122
BORROMINI : XIX.
BOURSAULT (E.).
Lettres à Babet : 67, *81-83*.
Treize lettres amoureuses : 68.
BRETON (A.) : XI.
BUSSY-RABUTIN.
Lettres d'Héloïse et d'Abailard : 67.
BUTOR (M.) : 27, 72.

C

Cahiers M. Renaud-J.L. Barrault : 187.
CALDERON : 182.
CAMUS (A.) : VI.
CERVANTÈS : XVIII.
Don Quichotte : 109, 110.
CHARNES : 25, 28, 30, 37.
CHARRIER (Ch.) : 108.
CHARRIÈRE (Mme de) : 70.
Mrs Henley : 71, 100.
Lettres neuchâteloises : 100.
Lettres écrites de Lausanne : 100.
CLAUDEL : XV, XVI, XXIV, 56, *171-189*.
Art poétique : 189.
Aventures de Sophie : 188.
Connaissance de l'Est : 186.
Fragment d'un drame : 174-175.
Grandes Odes : 186.
Jeune fille Violaine : 173, 174, *175-176*.
Mémoires improvisés : 182.
Otage : 173, 179.
Pain dur : *179-180*.
Partage de Midi : 172, 173, 175, *177-178*, 183, 184.
Père humilié : 173, *179-180*.
Soulier de Satin : 172, *181-187*, 189.
Tête d'Or : 172, 175, 176.
La Ville : 172, 175.
COLET (Louise) : 121.

CONSTANT (B.) : 22-23.
Adolphe : 102.
CORNEILLE : XXIV, 7-*16*.
Cid : 9.
Cinna : 9, 11, 12, 13.
Galerie du Palais : 8, 9.
Place Royale : 11.
Polyeucte : 7-16.
Tite et Bérénice : 11.
COTTIN (Mme).
Claire d'Albe : 100.
COUTON (G.) : 7.
CRÉBILLON FILS : 65, 73.
*Lettres de la Duchesse de *** :* 76, 79, 80. 83.
*Lettres de la Marquise de *** :* 72, *79-81.*
CRÉMIEUX (B.) : 138.

D

DANTE : 187.
DAUDET (L.) : 137.
DEFOE : 73.
DELACROIX : III, V, VI, IX, X, XIII.
DELOFFRE (Fr) : 50, 52, 57.
DIDEROT : III, 72, 73, 75, 88, 97.
Eloge de Richardson : 85.
Jacques le Fataliste : 46.
Paradoxe sur le Comédien.
DORAT : 68, 88.
Malheurs de l'Inconstance : 85.
Sacrifice de l''amour : 83-84, 87.
DOSTOIEVSKI : XXI, 171.
BELLAY (J. du) : XVIII.
DU BOS (Ch.) : XVII.
DU PLAISIR : 28, 30-32, 36-38, 44.
DURRY (M.J.) : 132.

E

ELIOT (T.S.) : IV.
ESCHYLE.
Choéphores : 187.

F

FABRE (J.) : 28, 41.
FAULKNER (W.) : 116.
FÉLIBIEN : VIII.
FERNANDEZ (R.) : 142.
FIELDING : 88.
FLAUBERT : I, IV, VIII-IX, XII, XVI, XVII, XIX, XX, XXV, 38, *109-133*, 139.
Education sentimentale : 126, 132.
Madame Bovary : 109-133.
Novembre : 123.
Par les champs et par les grèves : 123.
FOCILLON (H.) : I, II, XVIII.
FONTENELLE : 26, 28, 29.
FOSCOLO : 65.
Le ultime lettere di Jacopo Ortiz : 71.
FRANÇOIS DE SALES.
Introduction à la vie dévote : 105.
FURETIÈRE : 48.

G

GAUTIER (Th.) : 65.
Mademoiselle de Maupin : 100.
GIDE (A.) : XX, 137, 146.
Faux Monnayeur : 110.
GOETHE : II, 65.
Werther : 70, 76, 100.
GONCOURT : 110, 111.
GRAFFIGNY (Mme de).
Lettres péruviennes : 67, 77.
GUEZ DE BALZAC : 105.
GUYON (B.) : 89.

H

HARDY (Th.) : XXI, 171.
HOGARTH (W.) : 83, 87.
HURET (J.) : 110.
HUYSMANS (J. K.) : 110.

J

JAMES (H.) : I, IV, VII, 119.
Dépouilles de Poynton : VII.
JOUVET (L.) : 60.
JUNG (C.G.) : X.

K

KANY (Ch.) : 66, 105.
KAYSER (W.) : II.
KOLB (Ph.) : 137.
KRUDENER (Mme de) : 70.
Valérie : 100.

L

LABÉ (Louise) : 77.
LACLOS : 65, 75, 80, 83, 84, 86, *93-99*.
Education des femmes : 94.
Liaisons dangereuses : XXVI, 69, 73, 84, 87, *93-99*, 100.
LA CALPRENÈDE : 29.
LAFAYETTE (Mme de) : *17-44*.
Princesse de Clèves : XII, XXIV, *17-44*, 79-80, 111.
ZAIDE : 19, 24, 27-28, 29, 30, *32-36*, 43.
LA FONTAINE : 46, 48.
Voyage en Limousin : 105.
LA ROCHEFOUCAULD : 23, 41.
LECOMTE DE LISLE : 121.
LEFÈVRE (Fr.) : 172, 182.
LELEU (G.) : 118, 127, 128.
LESAGE : 73.
Lettres d'Héloïse et d'Abailard : 81, 108.
Lettres portugaises : 67, 68, 72, *77-78*, 79, 81, 88.
LEVAILLANT (J.) : 164.

M

MAHON (D.) : VIII.
MALLARMÉ : I, IV, V, VI, IX, XXI.
MALEBRANCHE : 23.
MARIVAUX : XII, XVI, XXV, 35, *45-64*, 73, 75, 88, 97, 115, 146.
Arlequin poli par l'Amour : 54.
Acteurs de bonne foi : 61.
Dispute : 56, 61.
Double inconstance : 55, 63.
Epreuve : 58.
Fausses Confidences : 55, 56, 60.
Fausse suivante : 62.
Heureux stratagème : 47.
Indigent philosophe : 46, 47.
Jeu de l'amour et du hasard : 56, 60.
Legs : 55.
Lettres contenant une aventure : 51, 52, 62.
Paysan parvenu : 48, 51, 52, 62.
Petit-Maître corrigé : 55, 58.
Pharsamon : 48-51, 52, 62.
Seconde surprise : 63.
Serments indiscrets : 55, 56, 58, 63.
Sincères : 56, 58,
Spectateur français : 45, 61, 64.
Surprise de l'amour : 54, 59, 61, 62, 64.
Télémaque travesti : 52.
Vie de Marianne : 46, 47, 48, 51, 52-53, 63, 88, 146.
Voiture embourbée : 48.
MARTIN-CHAUFFIER (L.) : 137.
MAURIAC (F.) : 116.
MAUROIS (A.) : 137, 146.
MAY (G.) : 11.
MÉNAGE : 29.
MÉRÉ : 46.
Mille et une Nuits : 156, *158-163*.
MONTAIGNE : XI, 23, 41, 46.
MONTESQUIEU : 65, 75.
Lettres persanes : 66-67, 73, 77, 83.
MOREAU (G.) : 151, 152.

N

Nadal (O.) : 7, 12.
Nicole (P.) : 23.
Nodier.
Adèle : 70.

O

Ovide.
Héroïdes : 66.

P

Panofsky (E.) : viii.
Pascal : 23.
Provinciales : 105.
Pichois (Cl.) : 98.
Picon (G.) : vii, xvii.
Pirandello : 181.
Pizzorusso (A.) : 19, 31, 66, 68, 94
Pommier (J.) : 118, 127, 128.
Poulet (G.) : vi, vii-viii, 11, 45, 98, 119, 123, 144.
Abbé Prévost : 36, 70, 73, 75, 97.
Cleveland : 36.
Prioult (A.) :101.
Proust : i, iv, xi, xii, xviii, xx-xxi, xxv, 47, *135-170*, 171.
A la recherche du temps perdu : 135-170.
Bible d'Amiens (Préface) : 151, 153.
Chroniques : 138.
Contre Sainte-Beuve : 135.
Jean Santeuil : 135-136, 147, 151, 152.

R

Racine : viii, ix, 23, 56, 183, 187.
Phèdre : 187.
Raymond (M.) : xvi - xvii, xviii.
Restif de la Bretonne : 65, 83.
Riccoboni (Mme) : 68, 70, 79, 100.
Lettres de Milady Catesby : 70.
Lettres de Miss Fanni Butlerd : 68, 79.
Richard (J.P.) : xvii, xxi-xxii, 122.
Richardson : 65, 67, 73, 83, 85, 86, 93.
Clarisse Harlowe : 85, 86, 93.
Pamela : 67, 70.
Rivière (J.) : 137.
Robbe-Grillet (A.) : 109, 110, 118.
Les Gommes : 109.
La Jalousie : 110.
Rousseau (J. J.) : 65, 73, 75, 76, 83, 86, 88, *89-93*, 94, 101.
Confessions : 89.
Emile : 94.
Nouvelle Héloïse : xxvi, 69, 74, 75, 86-87, 88, *89-93*, 94, 101.
Roy (Cl.) . 52.
Ruskin : 146, 151, 152, 154.
Bible d'Amiens : 151, 153.

S

Saint-Réal : 18, 19.
Saint-Simon : 149, *154-156*, 163.
Sainte-Beuve : 100, 112, 150.
Sand (G.).
François le Champi : 139, *156-157.*
Sartre (J.-P.) : 109, 116.
Sarraute (N.) : 109, 110.
Scarron : 46, 48.
Schérer (J.) : 13.
Schmidt (E.) : 108.
Scudéry (Mlle de) : 17, 32-34.
Clélie : 19, 29, 32-34, 67.
Cyrus : 29.
Ibrahim : 29
Segrais : 17-18, 29.
Senancour : 65.

Obermann : 70, 100.
SÉVIGNÉ (Mme de) : *157-158*, 167.
SEYLAZ (J. L.) : 84, 94, 96.
SHAKESPEARE : 182.
SINGER (G. F.) : 66.
SMOLLETT : 65, 83, *85-86*.
Humphry Clinker : *85-86*.
SOREL (Ch.) : 39, 109.
SOUDAY (P.) : 138.
SOURIAU (E.) : 12.
SOUZA (Mme de) : 70.
Adèle de Senange : 71, 100.
SPITZER (L.) : XVII, XVIII.
STAEL (Mme de) : 65.
Corinne : 102.
Delphine : 100.
STAROBINSKI (J.) : XVII.
STENDHAL : XXI, 46, 73, 115, 171.
Vie de Henry Brulard : 73.
STERNE : 72, 73, 88, 97.
SUPERVIELLE : IX.

T

TAINE : 112.
TINTORET : XIX.

U

URFÉ (D') : 17.
Astrée : 67.

V

VALÉRY : I, III, IV, V, VI, VII, X, XII, XIV, XX.
VALINCOURT : 25, 28, 29, 39, 40.
VERMEER : XXI, 171.
VIGNERON (R.) : 137.
VILLEDIEU (Mme de) : 18, 19, 24-25.
VILLON : XVIII.
VIRGILE : 187.
VOISINE (J.) : 89.
VOITURE : 105.
VOLTAIRE : 12.

W

WAGNER.
Tristan : 183, 187.
WOOLF (V.) : V, 110.

Z

ZOLA : 110
ZUCCARI : VIII.

BIBLIOGRAPHIE GENERALE

Je me borne à une bibliographie générale concernant essentiellement l'Introduction, telle que je l'ai conçue ; on y trouvera les principaux textes qui m'ont stimulé de près ou de loin. Il ne s'agit donc en aucune manière d'un répertoire complet des problèmes soulevés par ce livre, ni des ouvrages publiés par les auteurs mentionnés. J'ai retenu le plus souvent des titres qui renvoient soit à une prise de position importante, soit à une préface méthodologique, soit à une application d'un intérêt particulier.

AUERBACH (E.). — *Mimesis. Dargestellte Wirklichkeit in der abendländischen Literatur*, Berne, 1946.

BACHELARD (G.). — *Poétique de l'espace*, Paris, 1957.

BARTHE (R.). — « Histoire et Littérature », *Annales*, Paris, mai-juin 1960.

BLANCHOT (M.). — *L'espace littéraire*, Paris, 1955.

— « Qu'en est-il de la critique ? » *Arguments*, janvier-mars 1959.

BLIN (G.). — *Stendhal et les problèmes du roman*, Paris, 1954.

BLUNT (A.). — *Artistic Theory in Italy* (1450-1600), Londres, 1940.

BUTOR (M.). — *Répertoire*, Paris, 1960.

CLAUDEL (P.). — *L'œil écoute*, Paris, 1946.

CROCE (B.). — *Breviario di Estetica*, Bari, 1954 (12e éd.).

DELACROIX (E.). — *Journal*, 3 vol., Paris, 1932.

DRESDEN (S.). — « Critique littéraire et structure », dans *La notion de structure*, La Haye, 1961.

DU BOS (Ch.). — *Approximations*, t. I.

ELIOT (T.S.). — *Essais choisis* (trad. H. Fluchère), Paris, 1950.

EMPSON (W.). — *Seven Types of Ambiguity*, éd. de New York, 1955.

ERLICH (V.). — *Russian Formalism. History-Doctrine*, La Haye, 1955.

FLAUBERT (G.). — *Correspondance*, Paris, 1926-1954.

FOCILLON (H.). — *La vie des formes*, Paris, 1947.

FRIEDRICH (H.). — *Die Struktur der modernen Lyrik*, Hambourg, 1956.

GUIRAUD (P.). — *Langage et versification d'après l'œuvre de Paul Valéry, Etude sur la forme poétique dans ses rapports avec la langue*, Paris, 1953.

— *La stylistique*, Paris, 1957.

HATZFELD (H.). — *A Critical Bibliography of the new Stylistics applied to the Romance Literatures*, 1900-1952. Chapel Hill, 1953.
JAMES (H.). — *The Art of the Novel*, éd. de New York, 1934.
— *Carnets* (trad. L. Servicen), Paris, 1954.
KAYSER (W). — *Das sprachliche Kunstwerk*, Berne, 1948.
LUBBOCK (P.). — *The Craft of Fiction*, Londres, 1921.
MALLARMÉ (S.). — *Correspondance*, t. I, Paris, 1959.
MALRAUX (A.). — *Voix du silence*, Paris, 1951.
MAN (P. DE). — « Impasse de la critique formaliste », *Critique*, juin 1956.
MICHAUD (G.). — *L'œuvre et ses techniques*, Paris, 1957.
MORIER (H.). — *La psychologie des styles*, Genève, 1959.
PANOFSKY (E.). — *Idea*, Berlin, 1924.
PICON (G.). — *L'écrivain et son ombre*, Paris, 1953.
— *L'usage de la lecture*, 2 vol., Paris, 1960 et 1961.
PIZZORUSSO (A.). — *La poetica del romanzo in Francia* (1660-1685), Rome-Caltanissetta, 1962.
POULET (G.). — *La distance intérieure*, Paris, 1952.
— Préface à *Littérature et Sensation* de J.-P. Richard, Paris, 1954.
— Réponse à une « Enquête sur la méthode critique », *Lettres nouvelles*, Paris, 24 juin 1959.
RAYMOND (M.). — *De Baudelaire au Surréalisme*, Paris, 1933.
— *Baroque et Renaissance poétique*, Paris, 1955.
RICHARD (J.P.). — *Littérature et profondeur*, Paris, 1955.
— *L'univers imaginaire de Mallarmé*, Paris, 1961.
— « Quelques aspects nouveaux de la critique littéraire en France », *Filologia moderna*, Madrid, avril 1961.
RICHARDS (I.A.). — *Principles of Literary Criticism*, Londres, 1924.
SPITZER (L.). — « Zur sprachlichen Interpretation von Wortkunstwerken » dans *Romanische Stil- und Literaturstudien*, t. I, Marbourg, 1931.
— *Linguistics and Literary History, Essays in Stylistics*, Princeton, 1948.
— *Romanische Literaturstudien*, Tubingue, 1959.
STAROBINSKI (J.). — *L'œil vivant*, Paris, 1961.
VALÉRY (P.). — *Variété, Pièces sur l'art* dans *Œuvres* (éd. Pléiade).
WARREN (A.) et WELLEK (R.). — *Theory of Literature*, Londres, 1949.
WOOLF (V.). — *Journal d'un écrivain* (trad. G. Beaumont), Monaco, 1958.

TABLE DES MATIERES

Introduction.

I. — *Polyeucte* ou *La boucle et la vrille* 7

II. — *La Princesse de Clèves* 17
1. — Le contrepoint et l'alternance 20
2. — L'impossible contact 25
3. — Les « digressions » 28
4. — Présence et absence de l'auteur 36

III. — *Marivaux* ou *La structure du double registre* 45
1. — Un spectateur de ses « hasards » 45
2. — Les romans du spectateur 47
3. — Le théâtre du double registre 54

IV. — *Une forme littéraire : le roman par lettres* 65
1. — L'instrument épistolaire 66
2. — Formes épistolaires 76
3. — Trois œuvres :
La Nouvelle Héloïse 89
Les Liaisons dangereuses 93
Les Mémoires de deux jeunes mariées 99

Appendice 105

V. — *Madame Bovary* ou *Le livre sur rien* 109
Un aspect de l'art du roman chez Flaubert : Le point de vue.
1. — Un personnage introducteur : Charles Bovary 112
2. — L'art des modulations 117
3. — Les fenêtres et la vue plongeante 123

VI. — *Proust. A la recherche du temps perdu* 135
1. — Le cercle refermé 138
2. — De Swann à Charlus 145
3. — Les livres de chevet des personnages :
Balzac 150
Saint-Simon 154
François le Champi 156

Mme de Sévigné 157
Les Mille et une Nuits 158
4. — Fonction de l'amour dans le roman 164
VII. — *La structure du drame claudélien : L'écran et le face à face* 171
1. — L'écran 172
2. — Un schème constant : le face à face séparateur 174
3. — Le *Soulier de satin* 181
Index 191
Bibliographie générale 197

Réimpression photomécanique
LES PROCÉDÉS DOREL - PARIS
Juin 1964

Procédé Photo-offset

Dépôt légal : Juin 1964
ÉDITEUR N° 299
Imprimé en France